삶이 시가 되게 하라

레디앙 시선 | 일하며 부르는 노래2

삶이 시가 되게 하라

이성우 시집

차례

제1부　해밀

제2부 단미

제3부 해민

제4부   윤슬

제1부 해밀

해밀: 비가 온 뒤 맑게 갠 하늘. 세상살이에 관한 시들을 모아 놓았다.

서시

시인이 되기를
꿈꾸지 마라.

너의 삶이
곧
시가 되게 하라.

태풍

하늘과 땅 사이에 널린
광대무변한 이불 한 폭

세상의 이치대로
한바탕 뒤집고 빨고 말려야 할 터

오늘 새벽에는
한반도를 샅샅이 두들겨 대는구나.

폭포수처럼 쏟아져 내리는 비,
미친 여의봉처럼 춤추는 바람,

전자 한 개의 질량보다 가벼운
뭇 중생들의 삶이라 하더라도

짐승처럼 떠내려가지 말고(싸워!)
꽃 이파리처럼 날아가지 말고(싸워!)

내일 아침에는 기어코
뽀송뽀송 잘 마른 세상 한번 보자구나.

시

시인이 되기를 꿈꾸지 마라
너의 삶이 시가 되게 하라.

미련은 진작 떨쳤지만
이따금 나는 시를 쓰고 싶다.

어느 겨울 어두운 새벽
매립장에서 부지런히 일하다가
순식간에 증발한 환경미화원,
트럭에서 방금 부려놓은
집채만 한 쓰레기 더미를 파고 뒤진 끝에
동료들이 찾은 건 이승이 아니었다.

민요에 이르기를 육칠월 만물에
개구리 뒷다리한테 차여 죽기도 한다지만
사회면을 장식하는 모든 죽음은
막장 드라마를 저만치 밀어내고
우리네 상상을 맘껏 비웃고 조롱한다,
사람이 사람을 직접 죽여야만 살인이더냐.

아주 짧은 시를 쓰고 싶다.
한 마디 말로
주체할 수 없는 분노를 온전히 드러내고
단 한 줄로
세상의 부조리를 증명하고 싶다.

씻김굿이나 한판 벌이겠다고?
천만에,
내가 살아야 하는 이유를 찾고 싶은 것이다,
어울렁 더울렁,
모두 함께 사는 세상을 꿈꾸는 것이다.

한파

겨울은 추운 것이 좋았다.

강마다 쩌억 쩍 빙하 같은 얼음이 얼고
세찬 바람에 절로 겸손해지는 사람들
웅크리고 종종걸음 치는 것이 우습기도 했다.
눈 내리고 길 얼어붙어
세상천지 오도 가도 못하고 유배되어도
꿩 사냥에 노루잡이가 신나던 유년을
추억하는 재미도 쏠쏠했고
뜨뜻한 아랫목을 내어주던 인정도 그리웠다.

엄동설한을 전쟁이라도 치르듯이
생과 사를 무시로 오가는 사람들이
우리 이웃이며 동지들이라는 것을
깨닫기 전까지는,
인간의 겨우살이가
동물의 세계보다 더 잔인하며
등 기대어 온기를 나눌 수도 없다는 것을
누군가 나에게 깨우쳐주기 전까지는.

삼한(三寒)은 아예 말고
사온(四溫)이여 거듭 오라.

야식

날마다 새벽까지 쏘다니다가
모처럼 된장찌개를 끓인다.
냉장고에 넣어 둔 멸치 다시마 육수를 꺼내어
입안에 한 모금 머금으니 맛이 갔더라.
뱉어 내면 그만인데 그냥 삼킨다.
삼키고 나서야 개운치 않아
수돗물로 입을 헹군다.
썩은 것들을 무시로 들이키는데
이쯤이야 쉽사리 소화시키겠지.
깍두기를 담그다가 남긴 무 한 조각,
오랜만에 집어 든 호박 조각
여러 날 기다리다 풀죽은 달래 한 단
새로 만든 국물에 한 살림으로 차린다.
오래된 멸치볶음을 무조림으로 개조하고
김장용 젓갈들을 꺼내어 밥반찬으로 삼았다.
썩은 국물을 마신 탓일까,
오늘 따라 푹푹 썩어 시커먼 갈치속젓이 입에 붙는다.
사람만큼 반영구적이고
거대한 폐기물 처리 공장이 또 있을까
그냥 버리면 공해밖에 되지 못할 것들이

음식 혹은 기호품이라는 이름으로
우리네 몸뚱아리를 거쳐 비로소 환경 친화적이 된다.
라면 스프 하나 처리하려면 얼마나 오랜 세월이 필요하며
소주 한 잔 맑게 하는데 맑은 물은 또 얼마나 들어가는지,
덜 먹고 덜 더럽힐 수 있는 삶이면
더 바랄 나위가 없으련만,
말로만 수시로 반성하고
행동은 언제나 속물적이다.
오늘따라
썩은 음식의 풍미가 왜 이리 친밀하게 오느냐,
밤 이슥한데 밥 한 그릇 새로 지어
갈치의 시꺼멓게 썩은 창자들만 한 번 더 먹었다.
나도 저렇게 썩으면
어떤 사람에게든 기억에 담아 둘 맛난 음식일 수 있을까.

맛과 조연

음식의 맛은
두말할 것 없이
신선한 재료에서 시작된다.

맵거나 달거나
외양을 화려하게 치장한 음식들은
재료 그대로의 맛을 도무지 알 길이 없다.

손맛은 뭐냐,
재료가 살아온 내력을 살피고 읽어
더불어 사는 사람들에 대한 애정을 버무리고
그 모든 것을 조화롭게 만드는 세월의 무게라고 할까.

여기에 조연들이 있어
맛에 품격과 역할을 더하느니.

청양고추 하나만 넣어도
된장찌개의 맛은 선명하게 다르고,
족발에 생마늘 하나 얹으면 소주 맛이 기막히고,
마른 고추를 기름에 볶으면

뜨거운 국물에서 오는 시원함이 절세의 맛이다.

파는 간혹 넉넉히 쓰는 것이 비결,
황태탕, 육개장에 그득한 대파의
희푸른 살을 녹여 먹다 보면
방금 마신 술기운조차 온데간데없다.

헌데
하 수상하고 어두운 세상에서
식도락 타령을 하는 나는 대체 뭐냐?
신선한 재료가 되지도 못하고,
낡고 해묵어도 좋을 향신료보다 쓸모없다.

어디서도 주역을 자처한 적 없지만
인생에 참맛이라는 게 있다면
거기에 마늘 생강
아니 소금 알갱이 하나쯤 조연은 되고 싶다.

열대야

종일 불린 콩 한 컵,
죽정이 몇 개 골라내고
팔팔 끓여 삶는다.

덜 삶으면
콩 비린내 나고
오래 삶으면
물러 터져 메주 냄새가 난다고 했겠다.

팔, 팔, 8분쯤 지나서
콩만 건져 내어 한 알씩 껍질을 벗긴다.
하나 둘 셋 넷
열 스물 오십 백
셈이야 틀려도 관계없다.

껍질만 벗기고 나면
콩 국물 만들기는 식은 죽 먹기,
적당히 물을 부어
맷돌로 갈든 믹서로 갈든
고소하고 부드러운 콩국이 된다.

둘 셋 다섯 일곱
열 스물 백 이백
셈이야 틀려도 세월 간다,
콩 껍질 한 알 한 알 벗기다 보면
까짓것 열대야, 금세 더위를 잊는다.

9월

태풍이 지난 자리,
어떤 이는 그저 지지리 궁상이고
많은 이들에겐 삶의 벼랑 끝이다.

두 부류 사이에 혹여 차이가 있다면
내친 김에 세간을 모두 새로 장만하거나
햇살 아래 온종일 닦고 말리고 하더라는 것.

젖은 신문지로 유리창에 도배를 하고
밤을 지새워 일기예보에 가슴 졸이는 일 따위,
무심한 인간일수록 어째 그리 쌩쌩하냐.

대홍수가 오면 만인이 평등해질 것 같지만
인재든 천재지변이든
속절없이 당하는 것은 언제나 똑같은 사람들.

그러니 사는 게 전쟁이라.
태풍에 쓰러진 잔해를 일으켜 세우며
도처에서 전사를 자처하는 동무들 소식을 듣는다.

지금 그곳에 살지 않는다는 핑계로
나는 전투에 털끝만큼의 도움도 되지 않고,
이렇듯 경망스런 말로 응원을 대신할 뿐이다.

관계

의지와 무관하게
서로 만들어 놓은
무수한 기억의 장소에
다소곳이 자리 잡고 있다가
아주 잊히고 난 후에
불쑥
예기치 않은 기억 장소에서
발견되곤 하는 것.

볼펜이나
전화기나
하늘의 빛깔이나
지나치는 바람과 같이
평범한 것들에다가
얼마나 많은 기억들을
담아두었는가에 따라
그 내력과 깊이를 가늠할 수 있는 것.

일하다가
길을 걷다가

무심코 음악을 듣다가
하릴없이 술잔을 들이키다가
혼자만의 기억 장소에서
오래전에 떠난 사람들을 발견하고는
소스라치게 놀라고
다시금 생각해 보는
관계라는 것.

짧은 인연과
간단한 작별 인사조차도
소중히 간직해야 할
우리네 세상살이.

클라암스를 하는 여자

친구여 전자오락실에 가 본 적이 있는지
그 곳은 주로 깨부수고 쏴죽이고 때려눕히는
폭력과 비명이 난무하는 지상의 아수라
적들이 쓰러지는
아니면 지구에서 영원히 사라지는
뽕뽕 소리에 맞추어
낄낄대는
아우성치는 우리 정다운 이웃들을 보면서
나는 얼마나 눈물겹던지

클라암스 한글판 세 번째 마당
여섯 개의 돌무늬들이 쏟아지다가
한꺼번에 줄맞추어 뽕뽕 사라질 때
신나는 것은
자판을 두드리는 그 여자뿐만 아니다
지켜보는 나는 덩달아 즐겁다
마치 내가 클라암스를 하는 듯
마치 내가 재주를 부려 이십, 삼십만 점을 넘어가는 듯
흥분과 조바심 속에
민첩하고 진지하게

그녀는 달리고 나는 응원한다.

살아가는 것이 저와 같이
한순간도 놓치지 않고 진지함으로 이어진다면
이 세상은 살만하지 않겠나
버리는 시간도 없이 낭비도 없이
모든 시간들은 그대로 살아
생산하고 창조하고 발전할 것인즉

그러므로 클라암스를 하는 귀여운 여자여
당신은 클라암스를 하면서도
공인 최고의 점수를 향해
한 시간을 달리면서도
기실은 놀고 있는 것이 아니다
버리고 있는 것이 아니다
초롱한 눈빛의 치열함으로
그 실한 진지함으로
당신의 인생을 설계한다
우리의 내일을 밝힌다
고 말했으면 좋으련만

시절이 하 수상하여
사람들은 공연히 폭력을 휘두르면서도
범죄와의 전쟁이랍시고 산 사람들을 언 땅에 묻고도
어쩌면 진지하고 처연하지 않던가,
아닌 밤중에 백성들을 향해 선전포고를 한 무리들도
사뭇 점잖고
자못 진지하지 않던가
그런 세상 아니던가.

이 저녁 클라암스를 하고 있는 여자를 보며
사심이라고는 털끝만큼도 없이
무구한 마음으로 클라암스를 하는 여자를 보며
나는 까닭 없이 웅얼거린다,
클라암스를 해 본 적이 있는가 친구여.

10월의 끝

새끼손가락 하나라도 삐어 본 사람은 안다
아무리 사소한 것일지라도
그것이 아프면 우리 몸의 균형이
일순 무너지고 만다는 것을.

쓸개를 떼어 내고 사는 사람도 있긴 하지만
평소 이름조차 모르던 장기 하나라도 병들면
몸이 아무리 튼튼한 사람도
졸지에 시한부 생을 살 수도 있다는 것을.

누가 가을을 수확의 계절이라 했던가,
자신의 일터에서 내쫓기고
대대손손 이어온 삶의 터전에서 내몰리어
서릿발 내린 아침에 한뎃잠 자는 이들을 보라.

10월의 끝에 서서 다시 세상을 내다본다,
어쩌면 사소하거나 이름 모를 존재들이
도탄에 빠져 절규하는 소리 가득하다.
이걸 모르는 체하면서 이른바 대한민국은 영생을 꿈꾸는가.

눈 오는 날

이른 아침부터 눈이 내린다.
무작정 걸을까,
마을버스는 제 시간에 올까,
마음 정하지 않은 채 길을 나섰다.
눈이 와도
사람들의 일상은 변함이 없구나.
미세 먼지가 섞인 눈 조심해야 한다고
18층 이웃사촌이 뒤에서 아는 체를 하고
앞 동에 사는 정년 퇴임 교수께서는
얼굴을 가린 수염까지 활짝 웃어 보이며
차 위 눈을 치우느라 분주하다.
오지 않는 버스를 기다리며
동네 주부들은 소곤소곤 수다를 떨고
길 건너에서는 이삿짐 위로 눈이 쌓인다.
마을버스가 오자
근심도 수다도 우르르르 몰려 타고
여성 기사에 여자 승객들 일색이라,
청일점의 시선은 차창 밖으로만 향한다.
눈은 쉬지 않고 펄펄 내리고,
눈이 일상인 곳에서는 쉽사리 녹거나 치워지고

잊혀진 눈들은 무엇이 사무친 듯 쌓이거나 얼고
그 사이로 넘치는 추억을 뽀득뽀득 더듬으며
결코 철들고 싶지 않은 중년의 사내가 간다.

눈

아파트 주차장 한 귀퉁이
호젓한 숲 속 여기 저기
녹지 않은 눈더미들이
3월의 바람을 견디고 있다.
워낙 큰 눈이 내린 탓이다.

2월 한 달
나의 성 안에도
예기치 않은 큰 눈이 내렸고
나는 속수무책으로 설원에 갇혔다.
아, 따스했다,
눈 덮인 세상이 놀랍게도 따스했다.

세상의 눈은 사라지더라도
나의 눈은 그치지 말기를 바란다.
목련이 지고
초여름 장미 넝쿨이 붉게 타올라도
흰 눈사람이 세상을 내다보며
꽃보다 더 크게 웃었으면 좋겠다.

내가 눈사람을 만들기도 하지만
내가 때로 눈사람이기도 하겠다.
내가 네가 되기도 하지만
네가 내가 되기도 하겠다.

아, 행복하겠다,
더불어 사는 세상,
너나없는 세상.

어떤 블로그
– 산오리의 단순한 삶

길 가다가 우연히
집 한 채를 만났습니다.

그 집의 문패를 보고는
오래전부터 내가 알던 사람인 줄
대번에 알았습니다.

내가 알기로 그에게는
세상이 바로 포근하고 넉넉한 집이었습니다.

산으로 이엉을 엮고
들로 강으로 하여 수만의 방을 내어
사람이 보이면 이내 당신네 식구로 하고
숨죽여 흐르는 지하의 물줄기 하나라도 퍼올려
이 방 저 방으로 다니며
모두에게 나누어 주었습니다.

이제 내 앞에 서 있는 이 집을 보며
오가는 사람 너나없이 기웃거리며

친한 척 아는 척 하는 이 집을 보며
나는 불현듯 맥이 빠집니다.

이 지상에 뿌려진 당신의 체취를 더듬어
이곳저곳 주유하는 것이 좋았는데
이제는 이 자리에 펄썩 퍼질러 앉아
그저 기다리기만 하면 그뿐일 테니까요.

그래도 이왕 온 김에
막걸리 한 사발에 소리 한 자락 남기고 갑니다.
애닲다
세상 사람
입들만 성하여서
이러니저러니 말만 하네 말만 하네 ―

SNS에 관한 단상

1.
창은 세계와 나 사이에 놓인
벽의 또 다른 모습이지만
사방의 벽은 언제나 두텁고 어두웠으므로
나는 기꺼이 이 투명한 벽을 통해
세상을 내다본다.
그곳은 언제나 태풍의 눈처럼 평화롭다.
삼복에 작열하는 태양을 품은 하늘이거나
살을 에는 칼바람이 몰아치는 허공이거나
사진 속에서는 똑같이 청명한 풍경이더라.
전쟁과 기아, 폭력과 살인,
질병과 사고 따위 해묵은 것들부터
끝 모를 탐욕과 극단의 차별,
증오는 욕설처럼 끊임없이 재생산되는데도
바깥세상은 자못 여유로운 일상이다.

2.
여기에 또 하나의 창이 있다.
길고 긴 선을 타고 광속으로 오거나
전파를 타고 점조직으로 조직되어 연결되거나

내가 먼 곳의 풍경을 볼 수 있게
내 책상, 내 가방, 내 손바닥 위에
모니터 또는 디스플레이라는 이름으로
창과 같이 그도 나에게
좀 더 먼 바깥세상을 내다보게 하지만
기껏해야 내가 살필 수 있었던 것은
무수한 이름들의 집합과 반복되는 말들의 어지러움뿐,
이었다
나는 매사에 종합하고 분석하는 능력이
가슴보다 늘 한발 늦으므로
언젠가부터 몇 안 되는 이름만을 골라
그 이름의 창에 비치는 세상부터 관찰하기로 했다.

3.
관찰이라는 것은 또 얼마나
허허로운 일이냐,
객체의 모습과 객체의 감정과
객체의 술주정까지도
살아 있는 그대로 나에게 오는 것이 아니다
내가 바라보는 것은 다만

내 뇌세포의 미세한 스크린 위로 투영되는 그림자들의
나날의 변화와 일상의 자취에 지나지 않는 것을,
하지만 조그마한 움직임이라도 좇는 내 눈길은
첩보 위성의 안테나처럼 진지하다
열심으로 진지했다.

4.
지금 밀실의 창을 통하여
나에게로 오는 사람아,
그대 나직한 목소리 그대 희끗한 얼굴 내 자주 만날 수는
없어도
나 멀지 않은 곳에 이렇게 마주하고 있음을 보아 달라.
알고 있거니, 그대 밟아온 세월의 무게,
갇힌 젊음의 눈부셨던 갈망, 언제나
따뜻하게 다정함으로 벗들을 보살피는
그대의 오랜 섬김과 바램의
섬세한 손길, 내일을 지향하는 은근한
눈빛.

5.
오늘도 밝고 어두운 창들을 통해 세상을 엿보며
사람들을 그리워하는 것은 타고난 병이야, 하다가
이내 도리질하며 아래와 같이 고쳐 썼다
– 내가 무.작.정. 사람들을 그리워하는 것이 병이야!

11월

오늘도
반팔 차림으로 길을 나섰다.
도대체 언제까지 반팔로 나다닐 거냐고
누군가 놀려 대기에
은행잎이 다 떨어지고 나면
내 가을이 끝난다고 했다.

10월 하순이면
연구단지 가로수들은 일제히 옷을 벗고
샛노란 은행잎들이 떼 지어 몰려다니곤 했는데
오늘 아침에 만난 은행나무들은
여태껏 녹색을 품고 있었다.
그러니까 반팔은 내 탓이 아니다.
봄가을은 슬그머니 사라져 가고
올해 겨울은 기세가 더 꺾일 것이다.
사과나무 북방한계선이 휴전선 넘어가면
겨울에 더 이상 눈을 볼 수 없을지도 모른다.
11월의 내 반팔보다 그게 끔찍하다.

농반진반으로 너스레를 떨어 보지만

세월이 흘러도 풀기 어려운 문제는 쌓여만 간다.
고공, 천막, 노숙, 심지어 고압 송전탑까지
사시사철 그칠 줄 모르고
죽지 말자 함께 살자 외치는 목소리.
아우성쳐도 저들은 들은 척 하지도 않고
기세 꺾인 겨울일망정
자주 한계를 넘나드는 고통이다.

법치보다는 감시와 폭력,
공존보다는 증오와 배제,
불감증을 일상화하는 뉴스와 대거리들,
그 사이 어딘가쯤에서
분노와 무력감 사이를
온탕과 냉탕처럼 오가다 보니
반팔은 사치이고 허영인 듯 자꾸 맘이 쓰인다.

솔직히 말해
언제부터였는지는 모르지만
내 몸이 따스해지는 것이 불편하게 느껴졌다.
드러낸 살갗에 와 닿는 싸늘한 공기와 바람이

내가 어떤 세상에 살고 있는지
내가 무엇을 하며 살아야 하는지
조용히 일깨워 주곤 한다.

겨울비

날마다 어딘가로 떠나고
습관처럼 제자리로 돌아오는 일상,
찬비라도 없었으면
내가 지금 어디에서 뭘 해야 하는지
아주 잊을 뻔했구나.

가을비

누리팅팅하게 불어터진 채
보도에 드러누워 신음하는 그대.
대낮부터 벌겋게 취기가 올라
몸 가누지 못하고 무당춤 추는 당신.
오늘 술판은 그대들 것이다.
그래, 내가 기꺼이 양보하마.
모진 비바람에 우산조차 망가진 날,
막걸리 서너 말쯤 통째로 받아다가
생명과 별리를 논하고 있는 당신들,
언필칭 진심, 사랑하고 존경한다.

저 빗속에 샛노란 은행잎들이 나를,
10월의 시뻘건 단풍나무가 나를,
술 마시지 않고도 미치게 한다.
미칠 광이면 미칠 급이라 했던가,
어딘가로 미친 듯 달려갈 일만 남았다.

천막

비가 내립니다 새벽부터 천막을 야금야금 적시다가 내가
잠이 깨자 이내 두두둑 두두둑 하늘이 돌팔매질을 시작합
니다 허허 벌판에 누워 맨 몸으로 빗줄기를 맞습니다 이
세상은 태어날 때부터 우주와 통해 있으므로 안드로메다
성운보다 훨씬 멀어 거리를 측량할 수 없는 별나라에서
나 같은 외계인이 자신을 닮은 생명체를 상상하고 연구하
고 있을 것입니다 나는 무념무상 작은 천막 하나 지키는
것으로 행복합니다 지금은 천막이 생명이요 소우주입니
다 먼 도시에서 당신이 내다보는 빗줄기가 별똥별이 되어
나의 천장에서 반짝거립니다.

천막 2

사흘째 억수같이
가을 폭우가 내리고
천막을 둘러싼 잔디밭은
곳곳이 진창이다.

애써
위장하고 은폐한 것 아니므로
발 디뎌 보고 나서야
진창이 거기 있음을 안다.

삶이 그랬다,
예기치 못한 사건으로 점철되고
무수한 함정에 빠져 허우적대면서도
살아남은 것에 안도했다.

그러나 과거란 언제나
현재까지 맘대로 각색한 결과일 뿐
어느 함정에서 치명상을 입게 될지
아무도 모른다.

오늘 여기서 죽어도 여한 없다고
지금껏 살아온 것으로 행복하다고
이 아침 천막 아래에서
다시 오는 해밀 보며 파릇파릇 웃을 뿐.

첫눈

자정 지나
역사를 벗어난 내 어깨 위로
드문드문 달려와 앉았다가 사라진
그것은 눈이었을까.

나뭇잎 하나 흩날려도
쉬이 가려지고 말았을 그 눈발들과
조우한 것은 행운이었을까,
잠시 서성거리다가 총총히 가버린
그것은 꿈이었을까.

그때 나는
길을 걸으며 전화를 하고 있었고
내가 갈 곳은 이미 약속되어 있었는데
눈을 핑계로 어디로든 도망치려 하는 순간
눈은 이미 눈이 아니었지.

경험으로 말할 수 있는 것은
혁명과 해방 세상은
밤샘 술자리에서는 순식간에 오지만

바람 부는 거리로 혼자 나서면
첫눈처럼 금세 아스라이 멀어진다는 사실.

그것이 불안하다 나는,
제각기 어긋나는 동지들의 행보와
호오(好惡)를 애써 무시하는 이즈음 내 삶과
병든 가족,
엇갈리는 사랑,
이루지 못하는 꿈 따위로 번민하는
동무들의 자취,
모든 것에서 해방되고 싶다.

해방이라,
서릿발 지나 첫눈 내리고
한파가 몰아치면
가난한 사람들은 죽어버리고 싶다고
낮의 어떤 절규가 귓전을 때리는데,
이게 웬 말이냐,
나의 꿈은
한사코 첫눈에 머물러 있구나.

할−

살아 있는 원죄에 죄 하나 더 할래?

소용돌이치는 회오리 속으로 빨려들 듯이

나는 미리 정해진 경로로 성큼성큼 달려갔다.

사진

가을 아침에
우연히 집어 든 옛 사진 속,
열 명 남짓한 얼굴 중에
내 또래 두 사람이 올해 죽었다.

기껏 오십 년 살았는데
설레는 만남의 기억보다도
비통한 별리의 아픔이 훨씬 많다.

세차게 내리는 비.

중천의 해를 가린 먹구름을 스크린 삼아
툭툭
우수수수
은행잎이 노랗게 유영하고 있다.

다치지 않고
병들지 않고
주어진 수명일랑 누리고자 하는 것이
헛된 꿈은 아니길 비는 마음이야
한낱 나뭇잎에게도 소박한 바람일진대―

아직도 니네 나라에서는

아직도 니네 나라
검찰은
사람을 때려죽인다지.
역시 법보다는 주먹이 가깝다니까.

아직도 니네 나라
경찰은
모든 국민을 적군으로 여긴다지.
天下無敵 常勝不敗!*

아직도 니네 나라
국회라는 것이
조폭보다도 더 나와바리에 미쳐 날뛴다지.
눈에는 눈 이에는 이.

아직도 니네 나라
백성들은
그런 놈들한테 날마다 두들겨 맞으면서도

---

* 전투경찰들이 군복에 새기고 다니던 글자

숨이 붙어 있기는 하다지.

그래, 이놈아.
서른 창창한 나이에 근골격계 시름으로 자살하고
환갑 넘은 노점상 형님이 단속에 노하여 분신하고
농민 할배들이 이틀이 멀다하고 농약을 마시고
전쟁도 일어나지 않았는데
일 년에 3,000명 노동자가 산재로 죽어가는 나라에서
절통하고 분통하여
우리가 어찌 쉬 죽을 수 있겠느냐.

감옥에 끌려간들 대수랴.
방패에 찍히는 것이 아프랴.
수십 바늘 꿰맨다고 흔적이나 남으랴.

더 밀릴 곳도 없는 벼랑 끝에서
우리가
인간으로 살아남기 위해서
간다면 어디로 가겠어?

포도주

11월의 마지막 날,
아내가 가져온 2003년산 와인 한 병
둘이서 홀짝거리다가 끝내 모두 비웠다.
삭풍이 불고
벌거숭이 나무들마다
천도복숭아처럼 사람들이 거꾸로 매달린 계절,
배수에 진을 치지 않으면
목숨을 내걸고 무어라도 하지 않으면
살길은 오로지 배신이다, 그렇게들 믿는다.
도토리 따위 쓸모 있는 열매들은 모두 보시하고
단식 금식의 세월을 보내는 참나무나 밤나무 가지에
겨울에도 푸르른 저 겨우살이의 더부살이를 보라.
기생하지 않으면
스스로 숙주로 기꺼이 몸을 내맡기는
먹이사슬은 인간으로 인하여 영원불멸하다.
무수한 싸움들 속에서
실패를 거듭한 내 전적을 무릅쓰고
그래도 배신하지 않는 삶이 이길 것이라고 우긴다.
아내는 나더러 말 많다고 타박하지만
12월의 바람에 파묻히고 말더라도

나에게만 낯설고 나만을 배제하는 세상과
내 목소리로 기어이 소통하고 말겠다고
그것이 내 고독을 벗어나는 길이라고
혼자서 도리질하다가 끄덕이다가
내일도 변함없이 이어질 나의 전쟁을 설계한다.
내일은 12월이고
구태여 구간을 나누자면 이 겨울의 첫날이다.
바람 불고 눈 내리지 않아도
충분히 우리는 춥고,
인간으로 살기 위하여 싸운다.

비원(悲願)

잎이 지고
비 올 듯 바람 분다.

작은 빗방울에
큰 잎새는
하염없이 자유로우리라.

죽고 사는 것은
선택의 몫이 아니라
하늘의 것이요,
누가 감히 빼앗을 수 없는 법.

살만큼 살고
사는 것처럼 살고
그 끝에서
비로소 이승에서 자유로워야지.

겨울 안개

어매,
저 안개
불원천리 땅 끝까지 달리네.

떠돌이 내 인생
안개에 갇혔네,
요지부동
콘크리트 같은 저 견고함.

어매,
저 새들
금세라도 해를 삼키고야 말겠네.

해가 달이 되어
중천에 붙박혔네,
염화시중
온 누리에 번지는 미소의 힘.

비로소
나로부터 내가 탈출하는
혁명 직전의 시간.

이사
– 서울을 떠나며

한 평 반의 손바닥 위에서
일 년을 버티었다 140명 식구들이

언제던가
날마다 찢기던 우리들 눈물 젖은 판화와
임시 사무실 안내문
뜯으면 붙이고, 붙이고 나면 또 뜯겨
스물네 시간 눈 부릅뜨고 지켰던 날들
일주일의 싸움 끝에
우리 마침내 이 자리를 차지했지

가슴 벅찬 승리의 그날 이후 줄곧
전화기 두 대 컴퓨터 한 대에 매달리어
빈 찻잔과 담배꽁초에 파묻혀
쓰고 알리고 내붙이고 떠들며
계절의 오고감도 잊고 살았다
우리들의 꿈과 우리들의 희망
때로 치미는 분노로 아우성으로 내지르며
앉을 자리가 비좁아도 연신 찾던 조합원들이며

멀리서 가까이서 손들도 많아
언제나 시끌벅적 장터 되더니

오늘 와 보니 비었구나 텅텅
비어 버렸구나 책상 하나 책장 하나
긴 탁자 하나마저
덜어내 버리고
우리 살았던 흔적은
빈 콘센트 하나 끊어진 전화선 줄기
오호, 물샐 틈 없는 경비원들의 순찰일지도 덜렁
비로소 치장을 벗어버린 양 벽면의 붉은 벽돌과
흰 페인트의 간이벽 철거된 자국

깨끗하구나
경오년의 달력도 그 힘찬 구호도
살아 꿈틀거리던 그림들도 모두 사라지고
떠들썩하던 사람들의 웃음소리 하나 간 데 없고
분주히 찌릭거리던 프린터의 기계음도 들리지 않고
조용하구나

담쟁이넝쿨 타고 오르는
고장난 창틀에는
장맛비에 젖은 파릇한 풀 내음

잘 있거라
일 년 동안 세들어 산 초라한 신방아
우리는 간다 새 집 사서 새 가구 들여
삐까번쩍 24평 양옥으로 간다

가도
잊지 않으마 이 단칸방
힘든 몸 부비며 서로 체온으로 지새던
우리 뜨거웠던 밤들과
길지 않았던 신혼 생활을
가서
사람들과 두고두고 이야기하마
가난 속에서 더욱 불타던 투지와
이제 온돌방 따스운 곳에서 다시금 새겨야 할
우리 가야 할 세상과
어깨 걸고 가는 길
그 기나긴 역정과 고난에 찬 사랑에 대하여.

고드름

작두날 위 백척간두, 내림굿판이다.

무병을 앓아 신이 내린 무당이 사뿐사뿐 춤을 춘다.
쟁기쟁기쟁기 쟁기 재쟁기 쟁기쟁기
산에 가서 산신을 맞고
뒷마당으로 가서 잡귀잡신을 달래고
인간 세상에 신명을 내리고 풀쩍풀쩍 작두를 탄다.

삼라만상이 적요한 이때,
차디차게 희고 광대무변한 버선발 끝에서
한 방울 두 방울 피가 배어나더니

금세 천지에 고드름이 빽빽하게 맺혔다.

꽃잎

그때 미쳐 버린 것은 그 아이뿐이었을까 밤마다 나의 두
볼에는 하염없이 눈물이 흐르고 눈물이 강물이 되어 흐르
고 흐르다가 어느 사이엔가 검붉은 피가 되어 파도치듯
넘실거리며 달리더니 한순간 나를 삼킬 듯이 덤벼든다 아
악 나도 날마다 비명에 삭신이 오그라들고 덜덜덜덜 떨면
서 취한 채 새벽을 맞은 것이 벌써 얼마나 오랜 역사가 되
었나 오빠 오빠 술 그만 마셔요 오빠 이제 그만 집으로 가
요 오빠 엄마는 어떻게 되었나요 오빠 우리 집은 우리 집
은 예전 그대로 풀벌레 우는 언덕 아래 다소곳이 앉아 있
나요 오빠 내가 부르던 노래 내가 추던 춤을 온전히 기억
하나요 오빠 오빠 나를 태운 채 하늘을 날아오르는 하얀
말은 지금 어디쯤 있는 거예요 오빠 내 알몸뚱이에 고스
란히 남은 그날의 무서운 상처를 보아요 나를 굳이 위로
하려 들지 마세요 나를 겁주지 마세요 나는 지금 꽃잎처
럼 하나씩 무너져 내려 오빠에게로 달려가고 있어요 엄마
에게 가서 안긴 채로 잠자고 싶어요 돌이킬 수 없는 치욕
의 나라에서 우리는 그렇게 아픈 생채기를 숨긴 채 나날
이 미쳐 가고 있었다 내가 보고 있어도 내가 도망쳐 버린
곳에서도 세상은 아무런 준비 없이 무덤을 파헤쳤고 우리
는 끝내 무덤 속에서조차 그 아이의 흔적을 찾을 수는 없

었다 아서라 너의 핏속으로 그날의 피가 들어와 흐르고
있나니 이제 나는 너다 네가 그 아이다 우리는 살아남은
우리 모두는 산 채로 오늘 무덤으로 모여라 한조각 꽃잎
으로 알몸으로 퀭한 눈빛으로 지긋한 시선으로 비껴 서서
어디 한번 보자 야 이 제대로 미치지도 못한 년놈들아 미
친 세상아.

황사비

황사는
새처럼 자유롭게
국경을 가로지른다.

황사는
울릉도와 후쿠시마를 지나
태평양을 내달리는 꿈을 꾼다

밤새 꿈을 꾸었다
무수한 인파들 속에서
낯선 이들과 만나기도 하고
그리운 사람들을 찾아 헤매기도 했다

한순간 내 꿈은 온데간데없고
일요일 새벽
못다 이룬 황사의 꿈이
추적추적 봄비가 되어 땅으로 주저앉는다.

밤안개

비 없는 일요일,
난데없이 가을에 만개한 벚나무들이
터널을 이루었다.
대덕연구단지를
번개 무늬로 갈라치는
신성동과 어은동 사이,
9월의 매미*가 할퀴고 간 자리,
할복했거나
해일과 사태에 파묻혔거나
절통하고 억울한 가을 밤.

모든 넋들은 붉은 듯 희다.

---

* 2003년 9월에 온 14호 태풍

중년

차 앞 유리창에 내린
빨간 단풍 한 잎
비에 젖어 바짝 매달려 있네.

초겨울 까치밥 같은 풍경
혹여 떨어질세라
바람에 달아날세라

심장에 화살 꽂힌 소년처럼
머리에 물동이 인 아낙처럼
화끈화끈 위태롭게 달려가는 사내, 웃는다.

―철모르고 살아 행복하니?
―사는 게 신나고 즐겁니?
―한 번도 죽고 싶은 마음 들지 않디?

먹장구름이 가다가 되돌아서고
버즘나무들도 별안간 깔깔대고
없던 보조개 하나 빼꼼 피었다 진다.

길

길
지나온 길
살아온 길
참 가까운 길
작년 내린 낙엽을 찾아내는 길

먼 길
아침이면
다시 나서야 할 길
날마다 새로 시작하는 길
가지 않은 길

길과
길 사이에는
정작 길이 없다.

이 새벽,
나는 거기에 있다.

낮술

비 오는 토요일 우리는 만났다.
냉면 국물이 안주도 되고 소주도 되고
다시 소주 한 잔마다 되살아나는
해묵은 정들과 옛 사랑의 그림자,
태양이 없어서 그랬는지 몰라도
낮 12시가 밤으로 넘어가는 것은 아주 쉬웠다.
하고 싶었던 얘기는 혀끝에서만 맴돌았고
절제되지 않는 사건들 앞에
속수무책으로 눈물겨웠다.
낮술에 취하면
저마다 슬픔도 서러움도
어쩔 수 없는 박장대소로 덮여 버리는구나.
사랑은 지뢰밭 같은 것이라서
잘못 밟으면 크게 다친다는 대사 한 마디에
죽음 같은 삶도 곧 생기가 도는구나.
비는 그치고,
야간 산행이라도 해서 내게 술 더 보탤까.

5분

어릴 적에는 아무 책이나 꺼내어 읽었다.
좀 더 커서는 시를 두어 편씩 읽었다.
언제부터인가 신문 쪼가리를 들고 있었고
그 자리를 슬그머니 휴대폰이나 PDA가 대체했다.
한때는 요리 책을 섭렵하기도 했고
웬일로 맨손체조가 등장하기도 했다.

요즘은 그냥
아무 생각 없이 인터넷으로 기어들어간다.
집에서든
고속버스나 기차 대합실이든
남의 사무실에서 사람을 기다리고 있을 때에도
단 5분의 자투리 시간이 주어진다면.

뜬금없이,
당신들의 습관이 궁금하다.

메타세쿼이아

홍릉의 산림청 수목원이었던가,
수백 그루 메타세쿼이아가 까마득한 키를 자랑하는,
풍물을 치던 우리 동무들은
거기에서 술에 젖은 눈싸움을 벌였다, 12년 전 겨울.

연구소 주차장 경계에서
줄지어 늘어선 늘씬한 나무들이
메타세쿼이아인 줄을 허허 오늘에서야 알았다.
그것이 가을이면 싯누런 황금색으로 물든다는 것도
청명한 가을 하늘을 올려다보다가 비로소 알았다.
그것들이 12년 전에 심어진 어린 나무들이라는 것도
상념에 젖은 손길로 나무를 쓰다듬다가 알았다.

늦가을의 찬 공기가 폐부로 들이치면
나는 늘 반갑고 기쁘고 힘이 샘솟지만,
자꾸 지나온 인생들을 되돌아보게 되는 것,
나를 스쳐갔던 숱한 사람들을 되살려보는 것,
추억의 사진첩을 들쳐보듯 마냥 신나고
그 어울림과 배움의 기억들이 언제나 새로운데
어떨 때면 불쑥 막막함으로 다가들기도 하는 것이

이 계절 이즈음의 내 버릇이었던가.

오늘 난데없이 내 눈길을 사로잡은
메타세쿼이아조차 예사롭게 보이지 않는 것은
내 파란의 30대를 이렇게 맺는다는 말이렷다.

별리

아내의 아버지께서는
강원도 일대를 두루 돌며 초등학교 교편을 잡으셨다.
1934년생이니 올해 만 70세,
딸 셋 모두 분주한 장남들에게 시집가고
막내아들만 총각이라 늘 걱정하시다가
재작년에 흐뭇하게 며느리까지 보셨고
어엿하게 당신의 직계 손녀까지 얻으셨으니
남들이 볼 때 부러울 것 없는 노후를 보내고 계셨다.

하지만 12년 전에
직장암으로 큰 수술을 받으신 후에
항문 없는 불편함을 무릅쓰고 살아오신 터.
그나마 다행인 것은
당장 큰일이라도 당한 것처럼 오열하던 식구들도
10년이 지나는 사이 병 따위는 까마득히 잊거나 한 듯이
여름 휴가철이나 겨울방학이면 모여서들
얼콰한 술판에 떠들썩한 야영이며 물놀이를 벌였고,
장인께서는 그 틈틈이 환경운동과 서예에 관심을 두셔서
최근 춘천에서 열린 어떤 서예대전에서 상을 받기도 하셨다.

처음 몇 년간 잔뜩 경계하며 암의 추이를 살폈다가
시나브로 병에 대한 기억마저 멀어지는 그 사이,
신체의 다른 부분에서 오던 가려움이나 약간의 통증은
나이 들어 그런가 보다 하고 넘긴 것이 두어 해 되었던가,
열흘 전쯤 가슴 어딘가에 통증이 심해서 입원을 하셨고,
작은 병원에서 조금 큰 병원으로 옮기라고 해서 갔더니
어허, 이를 어쩌나, 혈액암이 확실시된다는 전갈이었다.

12년 만에 다시 맞닥뜨린 충격을 어쩌나 하여
누구도 장인께 병명을 알려드린 적 없는데,
당신께서는 지난 주말 평소와 다름없는 목소리로
슬하 식구들을 모두 부르셨다.
서울, 춘천, 대전 등지에서 부리나케 달려간 우리에게
몸은 아프긴 하지만 나을 수 있다는
희망과 기대를 힘주어 밝히셨고,
우리는 이구동성으로 쾌유를 비는 덕담을 바쳤다.
그리고 평소처럼 우르르 몰려 동해안을 유람하고
38선 휴게소 아래 해안에서 파도와 휴식을 취하기도 했다.

장인께서 보시기에 가족들은 모두 평소처럼 깔깔댔지만

실은 임파선암이 이미 골수까지 퍼져 말기에 이르렀으며
진통제를 맞으며 고통을 잠시 넘기든가
약물 치료라도 받아보든가
별다른 치료의 희망은 없다는 의사의 말을
약속이나 한 듯 당신께만 애써 감추었던 것이고,
장모와 딸들은 틈만 나면
당신의 시선을 피하여 눈물을 쏟거나 훔쳐내곤 했다.

여느 때와 다르지 않은 1박 2일의 가족 모임이 끝나고
강릉에서 교편을 잡고 있는 큰딸과 맏사위를 빼고는
모두가 뿔뿔이 자신들의 일터로 돌아간 지 이틀째 새벽,
우리에게 일일이 조심해서 운전하라고 챙기시던 장인은
지난 자정을 전후해서 의식을 잃으셨고
지켜보던 윗동서께서 조금 전에 전화를 했다.
갑자기 의식을 잃어 산소마스크를 쓰고 계신데
중환자실로 옮기려 해도 자리가 없고
아무래도 오래 견디시지 못할 것 같다,
가족들의 결심이 필요하다고 의사가 말하더라.
새벽 4시였다.

아내는 눈물부터 쏟고
나는 강릉 아산병원 7층 병실에서
망망하게 내려다보이던 바다 풍경을 불현듯 떠올린다.
흩어졌던 가족들이 다시 강릉으로 달려갈 시간,
예고되고 준비된 이별이건만
우리는 끝내 피하려 했고
당신께서는 의연하고 당당하게 맞이하고 계시다.
이틀 전에 보인 명징한 웃음과 말씀은
그 모든 것을 미리 알고 가신다는 뜻이리라.
이젠 멀고 푸른 동해 바다 위에서
남겨진 가족들을 굽어보며 축복하고 계시리라.

수해

수해는
산 자들에게만 오는 전쟁은 아니었다.
김천의 야트막한 산등성이
15년은 쑥쑥 자란 오동나무의 넓은 잎사귀들 아래
할머니는 한쪽 가슴팍을 비바람에 앗긴 채 누워 계셨다.

어느 틈에 다시 쳐들어온
아카시 나무의 어린 줄기들과 가시덩굴과
잡초들과 잔디를 밀어낸 이끼들,
일일이 낫과 호미와 손아귀로 뽑아 버리면서
이따금 향 내음 스민 막걸리 한 사발 들이키고
또 허리를 일으켜
내륙으로 가는 철길을 물끄러미 내려다본다.

저기 보인다.
고립된 지 1주일 만에
군용 헬리콥터로 옮겨온 발전기 하나에 기대어 선
산간벽지 내 어릴 적 마을이 보인다.
얼마 전 어머니는, 티비에서 그 마을을 봤는데,
거기에 내 동갑내기 친구도 나왔다고 했다.

9살에 그 마을을 떠난 나에게, 그 동무는 기억에 없다.

다시 내가 십리를 걸어 다니던 또 다른 등굣길,
한천에서 물에 휩쓸려 사라진 다리의 흔적이 보인다.
어릴 때 큰비만 오면
내 동무들은 아예 학교에 오지도 못했지.
비와 추위에 떠밀려
두 살 세 살 위 연배의 동급생들이 제법 있었지.
그 동무들이 어떤 마을에 살고 있었는지,
나이 스물이 지나서 새로운 친구들을 데리고
내 어릴 적 산간 마을들을 한 바퀴 돌고 나서야
비로소 지도 위에 표시할 수 있게 되었지.

할머니 묘소를 가리고 선
오동나무 큰 가지 하나 체중 실어 부러뜨리고 나자
당신께서 홀연 나에게 나타나셨다.
내 태어난 이후로 시력을 잃으셨고
내 손을 꼭 붙잡고 마실 다니시던,
영일만 바닷가 태생이시라
생선과 오징어 데침을 유달리 좋아하셨던,

이제 갓 대학생이 된 큰 손자에게
니 내 몰래 마누라 감추고 있제?
하며 껄껄 웃으시더니
여든여덟에 홀홀 저 세상으로 가신
할머니 목소리가 바람결에 생시처럼 들린다.

필시 해방 공간에서 왼편에 섰을 지아비는
어느 바람에 세상을 저버리셨는지 알지도 못하시고
슬하 6남매 중 두 딸과도 일찌감치 생이별하셨던,
앞이 보이지 않으셨어도 청결하기 짝이 없어
날마다 손이며 얼굴이며 발 닦으시고
희고 긴 머리 참빗으로 오래오래 빗으시다가
비녀를 반듯하게 꽂아 위엄을 챙기시던,
그리하여 우리 엄마 참 힘들게도 하셨던,
할머니 정정한 생전 모습이 구름 속에 보인다.

태풍이 휩쓸고 난 공동묘지에서
까무룩 잠자고 있던 내 유년의 기억이
최면 치료를 받는 듯 파노라마처럼 살아났다.

제2부 단미

단미: 사랑스러운 여자. 60년대 최현배 선생이 쓰기 시작한 말. 사람과 그리움에 관한
    시들을 모아 놓았다.

마음

그대 생각하며
내 마음이 자란다.

그대 그리워하며
내 마음에 가지가 뻗는다.

그대 입술을 느끼며
내 마음에 새순이 돋는다.

그대 체취를 기억하며
내 마음에 무성한 녹음이 진다.

어디선가
졸졸졸 물소리 들리고
나는 그대라는 우주로 날아간다.

남

남이 아니었으면 좋겠다
그대 가슴속에 스민
마음의 일부였으면 좋겠다.
그대 머릿속에 넘치는
생각의 하나였으면 좋겠다.
내 몸과 마음이
온전히 그대 소유가 되어도 부끄럽지 않고
그대의 소소한 일상, 심지어 잡념조차
나에게 고스란히 노출된다 해도
서로 자연스럽게 받아들일 수 있는
그런 사이였으면 좋겠다.
생각을 읽거나 들키는 것은
인간사 수만 년의 금기라 하지만
그것조차 뛰어넘어 그대 사랑하고 싶다.
언젠가 내 마음에 바람이 일어
한순간 시야에서 그대 희미해진다면
그 놀라운 사건을 그대가 먼저 알았으면 좋겠다.
나는 정말 그대에게
빗장 너머 남이 아니었으면 좋겠다.

그리움

그리움에는
중력이 없다.

광대한 우주로
무한 팽창한다.

그리움이 커질수록
나는 티끌이 되어간다.

그리움 2

눈을 감았다가
눈을 뜬다.

온 세상을 그대가 채웠다가
찰나 사라진다.

영영
눈을 감고 살고 싶다.

은행나무 줄지어 선 거리,
눈 부릅뜨고 달리면서
헛된 꿈을 꾼다.

눈물,
따스한 그리움이다.

폭설
- 그리움 3

어쩌면
빙하기가 금세 올지도 모른다.

세상이 삽시간에 바뀌는 걸
얼마나 많이 보았던가.

털고 또 털어도
쓸고 또 쓸어도
거침없이 지구를 덮어 버리는
저 기세를 보라

불가항력으로
난 극지에 포박되었다.
어기적 어기적
허우적 허우적 허우적

이 서슬 퍼런 유배로부터
날 구원하라, 그리움이여.

손톱을 깎으며
- 그리움 4

어느새 길어 버린 손톱을 보며
그대를 생각한다.

기차역 플랫폼에서 손톱을 깎으며
그대를 그리워한다.

손톱을 몇 번이나 더 깎고 나면
그대 다시 만날 수 있을까

손톱이 자라는 그 세월 동안
나는 변함없이 그대 그리워하며 살아갈까

다 깎은 손톱
물끄러미 내려다보면서
내 삶,
그대가 있어 행복하다고 혼잣말한다.

소솜
– 그리움 5

그대가 얼마나 소중한지
깨닫기에 충분한 시간

내 몸이
그대의 부재를 알아채는 시간

내 마음이
더듬이를 곧추 세우고
그대를 탐지하는 시간

이 모든 시간의 길이는
한 소솜,
만남이 아무리 오래되었어도
내겐 한 소솜일 뿐

허나
그대 아프고 화난 마음
제때 헤아리지 못하여
뒤늦게 후회할 때면

한 소솜의 무게가 억만 근이다.

한 소솜,
한 소솜,
나는 그대가 그리워서 미친다.

기차
- 그리움 6

기차를 타면
그대 더욱더 보고 싶다.

레일 저 끝에서
그대 금세 달려올 것만 같다.

도중에 만나지 못해도
이 길의 끝으로 가면
그대 활짝 웃으며
나를 맞이할 것만 같다.

어디로 향하는 기차이거나
기차에 오르는 순간
나는 그대에게 가는 것이다.

그 해 여름
– 그리움 7

마알간 아침 하늘,
한 귀퉁이부터 캄캄하게 어둠이 밀려오더니
이내 비가 퍼붓고
우르르 쾅쾅 천둥이 칩니다.

천둥이 하늘의 심장인 듯
박동 소리가 다부지고 야무진데
내 심장의 미세한 울림과 떨림은
어느 한 사람에게라도 가닿을 수 있을까요?

비가 올 때마다
본능처럼 몰아치는 가슴앓이,
우산 버리고
하늘이 뚝뚝 떨어지는 나무 아래 서서
온 세상 넘치는 그리움으로 무장하고 싶습니다.

어떤 봄
-그리움 8

나뭇잎마다
하늘하늘
그대 체취가 피어오릅니다.

꽃송이마다
아롱아롱
그대 얼굴이 맺혀 있습니다.

나를 스친 바람이
간질간질
그대의 겨드랑이로 파고듭니다.

그날 그 시간들이
쿵쾅쿵쾅
그대에게 가는 내 심장을 두들깁니다.

얼음장 녹은 시냇물이 뒤늦게
울렁울렁
가슴과 가슴 열고 더욱더 사랑하라 말합니다.

지하 주차장

어둡고 깊은 밤에도
그의 가슴은
늘 적당히 열려 있다
그 어디라도
내가 달려가 멈추기만 한다면
이내 받아들일 태세가 되어 있다
지상의 모든 생명들이
촉촉하게 비에 젖는 이 새벽에
그의 마른 가슴에
얼굴을 묻는다
비에 젖은 머리와
축축한 어깻죽지
아무데나 부벼 털면서
나는 그이에게 감사하다
내어 줄 것 없는 몸이라도
천상의 연애 따위는 부럽지도 않구나.

칸나

밤새
꿈을 꾸었다.

한 송이 칸나가
빨갛게 빛나고 있었다.

눈 비비고 다시 보니
칸나가 웃고 있었다.

작고 예쁜 입술을 가진
사랑스럽기 짝이 없는
내 님이 나를 반기고 있었다.

잠 깨지 말아야지,
꿈속에서 나를 다독이는 순간,
여지없이 꿈에서 깼다.

아쉬워 아쉬워 하다가
내 머리에 꿀밤 먹이며 웃었다.
잠시 잊었구나

꿈 밖에는
언제나 내 님이 있다는 사실.

중독

당신이 당하는 고통,
피눈물 어리도록 나의 것

당신이 누리는 행복,
떨어져 있어도 온전히 내 기쁨

지구가 둥글기 전,
프로메테우스가 불을 훔치던 때부터

내 궤도의 중심에 당신이 있고
아편보다 더 강한 인력으로
나를 공중 부양한다.

사랑, 아니어도 좋으리.

바보

거울 앞에 바보가 서서
헬렐레하며 웃고 있다

바보에게 거울 속 사람은
자신이 아니라
딴 세상 사람이다

추호의 적의도 없이
온 마음을 열어
바보는 자신과 대면한다.

내가 좋아하는 사람,
마주 보거나 전화로 만날 때
나는 그렇게 바보가 된다.

내가 헤벌쭉하니 웃고 있을 때
내 마음의 거울 속에는
당신이 거인처럼 자리 잡고 있다.

낙서

나의 낙서는
누군가에게 보내는 연서이다.

사람을 좋아하는 것은
한 순간의 충동이 아니라
오랜 세월 다른 환경에서 자랐어도
상대방의 존재를 서로의 심장이 알아채는
내밀한 교감과 소통의 결과이다.

그러나 사람을 좋아하는 것과
좋아하는 사람을 배려하는 것은
사뭇 다른 일이다.

한 사람을 좋아하고 있다.
떨어져 있어도
그 사람을 자꾸 생각하게 된다.
도리질하며 지우려 하면
심장이 콩콩 뛰며 그러지 말라고 한다.

내가 좋아하는 사람을

좋아한다는 이유로 힘들게 하지 않으려면
달려가는 것보다는
무엇이라도 쓰며 견디는 것이 나으리라.

나의 낙서는
누군가를 그리며 부르는 애가이다.

바람

오늘 나는
그대가 못다 한 얘기들을 듣고 싶다.

긴 편지를 쓰고 싶었는데,
할 말이 있었는데,
여운을 남기는 그런 말은 말고
아무런 검열도 없이
손질하지 않은 날것 그대로
그대가 눙치고 눌러온 마음 살짝 엿보고 싶다.

그대가 그만 멈추라고 하면
그 자리에서 곧 되돌아갈 것처럼
짐짓 큰소리치면서 달려왔지만
정지된 몸짓이나
순간의 침묵조차
그대의 경고일까 흠칫 놀라
혼자 호들갑을 떨고 수선을 피웠더라.

내 조바심이 그대 말문을 막았던가,
내 투정들이 그대 마음을 닫았던가,

둘만의 시간이
뉘엿뉘엿 서편으로 가는 오늘,
내 탓에 보고 듣고 느끼지 못한
그대 마음 한 조각이라도
나 아닌 그대 언어로 새로 맛보고 싶다.

세월이 흐르고 흘러
둘만의 세계가 행여 다시 열리거나
언젠가 그대에게
옛 추억을 들먹이는 순간이 오면
함께 해서 행복했던 벅찬 기억들,
말없이도 느낄 수 있었던 시간들,
생생한 그대의 표현으로 되살려 내고 싶다.

그러니 그대여,
술 한 잔의 힘을 빌지 않더라도
오롯하게 그대 얘기로
오늘 우리에게 남은 시간을 채워보지 않으련?

그 날 이후

나는
그대가 좋다고
수없이 말했다.

그대는
내가 좋다고
그저 눈으로 말했다.

말로 하든
눈으로 하든
그 마음이 다른 게 아닌데

나를 좋아한다는
말 한 마디가 늘 간절했다.
날이 갈수록 나는 애가 탔지만
그대는 묵같이 끄떡없었다.

어느 겨울밤,
마주 보면서도 더 보고 싶어
내가 미칠 것 같던 날,

마침내 그대가 말했다.

나를 너무 좋아한다고,
그래서 숨고 싶은 것이라고,
그날 이후 많은 것이 달라졌다.

나는 그대를 더 좋아하게 되었지만
끝 모르고 치달려가던
갈망을 조금씩 추스를 수 있게 되었고
일일이 말하지 않고도 그대처럼
이 마음 오래도록 지닐 수 있게 되었다.

오늘도 내 가슴은
그대 향한 그리움에
고흐의 해바라기처럼 활활 불타고
나는 새로 태어난 듯 행복하다.

가장 따뜻한 색, 블루
– 아델을 위하여

울지 마라, 아델.
세상에 우연은 없단다.
네 사랑은 숙명이자 필연이었어.
눈물 철철 넘치도록 끔찍하게 사랑하고
목숨과도 바꿀 수 있을 만큼
희열과 절정의 세월을 보냈잖니.

엠마를 원망하지 마라, 아델.
세상에 영원이란 없단다,
이 사람에게서 저 사람에게로
사랑도 쉴 새 없이 움직이는 것이야.
네 인생의 2막에서는
엠마보다 더한 사랑이 올 수도 있어.

아델,
네 나이 낭랑 18세,
살아온 날보다 남은 날이 훨씬 많지.
마지막에 네가 그랬듯이
주저하지 말고 당당하게 삶으로 가는 거야.

진정한 사랑에는 이별이 없다는 것도
헤어진 후에야 알 수 있단다.

아델, 네 덕분에 나의 엠마를 다시 본다.
사랑이 넘쳐서 도망가는,
너무도 사랑해서 숨고 싶은,
지금 내 사랑을 바로 보지 못하는,
하나밖에 없는 사랑을 인정할 수 없는,
엠마를 너처럼 받아들이지 못하는 내가 밉다.
이제 내가 너에게서 바로 배우마, 사랑.

시월

시월에도
비가 내린다.

시월에도
먼 바다에서는
태풍이 온다.

시월에도
내 마음 깊은 곳에서는
온갖 물고기들이
팔딱팔딱 꿈꾸며 산다.

폐허

그대를 생각하다가
까무룩 잠이 들었다.
꿈속에서 나는
어느 폐허를 헤매고 있었다.
혼자였다.
분명히 내가 살던 곳인데
벽은 허물어지고
세간살이는 망가지고 부서졌다.
나는 이내 내 집 찾기를 포기했다.
다음 장면에서
프라이팬 하나를 찾아들고
계란이라도 부쳐 그대를 먹이겠다고
폐허의 집터를 뒤지다가 잠이 깼다.
다시 잠을 청하려다가 말고
골똘히 그대를 생각한다.
지나간 시간이 설령 폐허가 된다 해도
나 거기에서 새로 집을 지으리.

벗에게 주는 말

그대 사랑
분수처럼 힘차게 사위로 흩어져 내리더니
어쩌다 그 줄기 하나
제 곳에 가닿지 않음이 안타까워
오늘도 잠 못 이루고 있구나, 벗이여.

이 척박한 땅에서는 모두 외로운 이들뿐이거늘
하필 그대가 지나는 길마다 사랑의 꽃 활짝 피어나니
누가 있어 그 꽃 그림자에 갇힌 모습 살펴
손 내밀어 그대를 쉬게 하리오만
정이 많음이 병이런가
사랑이 깊음이 죄이런가
봄볕 오는 거리로 나가 춤추지 못하고
낯 붉히며 그늘로 물러서는 나의 벗이여
사랑이여 연민이여 드러낼 수 없는 부끄러움이여
나조차 이 새벽에 애닳고 눈물겹고나.

그런 것을, 그토록 몸 달은 그대인 것을
나는 그만
사랑은 오래도록 남몰래 지키는 것이요

사랑은 말 못할 가슴앓이를 안으로 안으로만 견디다가
해 살라 먹고 달 살라 먹고 별까지 안은 후에
이윽고 찬란한 아픔으로 터지는 석류와도 같은 것이라고
그렇게 이야기했구나.

서둘지 마라, 그대
자칫 강가에 닿기도 전에
사공의 벗은 옷에 님의 옷깃 가리운 걸 모르고
서러운 물로 풍덩 뛰어든 낭자의 전설처럼 큰 슬픔이 또 올까
그것이 두렵다고
그렇게 말하였구나.

기다림 속에서 애타고
고통 속에서 입술을 말리면서
젖은 장작은 서서히 불씨를 키우고
마침내 비바람 몰아치는 여름날에도
눈보라 내리치는 겨울날에도
꺼지지 않는 불꽃으로 피어나리라 활활 타오르리라
그렇게 떠벌였구나.

아닐세 아니야 그게 아니야
그대 사랑의 깊이를 내가 몰랐네
그대 불꽃의 밝기를 내가 미처 몰랐네
그대 정염의 힘찬 깃발을 내가 정말이지 못 보았네
그래, 사랑은 뜨거운 몸뚱아리를 아낌없이 던지는 것
그래, 사랑은 거대한 불구덩이에도 망설이지 않고 뛰어드는 것

그래서 바다와 같이 깊은 가슴으로 모든 것을 끌어안는 것
그래서 하늘과 같이 넓은 마음으로 모든 것을 덮어 버리는 것
그래서 하나가 되고 그래서 새로운 세계로 열리는 것
이제 알겠다, 벗이여
그대 사랑의 빛깔과 그대 사랑의 냄새와 그대 사랑의 맛깔
술 마시지 않고도 취하는 순간
아하 비로소 그대 사랑의 의미를 바로 알겠다.

지금 내 감히 이야기하느니, 달려가라 벗이여
오직 하나뿐인 그대의 님을 찾아서
오직 하나뿐인 그대의 태양을 찾아서
오직 하나뿐인 그대의 영혼을 찾아서
달려가라, 견딜 수 없이 서러운 밤들을 모아

그대의 발치에 버리고
무수한 불면의 술잔들을 내던지고
술잔 속의 온갖 상념을 떨치고 달려가라
가서 두려워 말고 고백을 하라
부끄러운 고백 뜨거운 고백 오로지 사랑의 고백을
이 새벽이 밝으면 기어이 하라 늦기 전에 하라.

이루어지리니 그대의 소망
이루어지리니 그대의 꿈
아름답구나, 그대의 기나긴 사랑 그 마지막 열병 그 눈부
신 불꽃.

범계역에서

9월 중순에 내리는 비는
스쳐 지나갈 줄 알았는데
시간이 흐를수록
더 세차게 쏟아진다.

우산도 없이
무방비 상태로 빗속을 달리면서
그 옛날 범계역 근처에서
저 비처럼 스쳐갈 줄 알았던
그대와의 시간들을 기억했다.

막차에 맞춰 떠나지 못한
내가 화근이었지만
속절없이 방치했던
그대 마음은 무엇이었을까?
범계역에서 천안역,
천안에서 다시 서울로 돌아갈 때까지
졸음을 무릅쓰며 그대 무엇을 생각했을까?

그대와의 시작이

하나뿐인 시공간이 아니기에
특정한 때와 곳에만 의미를 던질 이유는 없지만
그 날의 두근거림과 설렘을
기억하는 바로 지금의 내가 있고
그대가 여전히 내 안에 있다는 사실은 분명하다.

그러므로 범계역 아니라
어떤 도시에서 비를 맞든지
작열하는 태양에 몸이 타버리든지
외딴 산골에서 홀로 별바라기를 하든지
나는 그대 존재에 기대어 사는 것이며
사랑이라 말하지 않더라도
삼라에 무수히 많은 증거의 씨를 뿌리고 있는 것이다.

아침 단상

내가 걷는 이 길,
언젠가 끝날 수도 있으리란 건
누구나 쉽게 얘기할 수 있다.
이를테면
그건 보편적 상식에 속한다.

상식에만 따라 살았다면
나에게 안겨진
이 길에서의 행복에 대해서
어떻게 설명할 수 있을까?

나는
이 길을 계속 걷게 될 것이다.
다시는 만날 수 없는
내 행복의 전령사가
이 길 위에 언제나 있기에

나와 항상 같이 있을 수는 없다는 것이
때로 불안하고 불편하다 해도
나 아닌 그대의 님을 이따금

시샘한다 해도

남은 생애,
이 길만 걷게 될 것임을
내가 알고 하늘이 알고
그대도 예감하게 될 것이다.

편지

1.
그대의 얘기를 듣고 싶어서
나는 끝없이 얘기를 합니다.

얘기가 되풀이될수록
나는 시나브로 얘기들 뒤로 사라지고

침묵이 오래 흐를수록
그대는 반달같이 단아한 모습으로 나타납니다.

내 얘기는 그저 껍데기일 뿐입니다.
그대는, 참인 명제입니다.

2.
늦은 밤에 간신히 잠들었다가
이내 가위에 눌렸습니다.

어두운 길에서 괴한이 나를 꼼짝 못하게 하고
칼을 들이대면서 가진 것 모두 다 내놓으라고 합니다.

내 몸이 조금만 뒤틀려도
괴한의 칼이 내 옆구리로 날카롭게 파고듭니다.

절체절명,
위기의 상황이거늘
나는 무엇을 내놓고 무엇을 지킬 것인가
복잡한 셈을 하고 있습니다.

다 버리지 않으면
생명이 위험하다는 것을 깨닫는 순간,
숨을 헐떡이면서 내가 취한 행동은
눈을 부릅뜨는 것이었습니다.

캄캄한 새벽,
장맛비,
세상은 빗소리가 그윽합니다.

3.
마음은
어딘가를 지향하는 것이라고 했습니다.

이제 보니 내 편지는
오로지 그대 마음만을 지향하는 것이었습니다.

엽서

아내여 미안하다 나는 사람들의 이야기 속에서 당신의 이야기는 잠자코 파묻었다.

아내여 미안하다 나는 사람들의 눈물 속에서 당신의 눈물은 말없이 흘려버렸다.

아내여 정말로 미안하다

나는 사람들의 함성과 노래에 파묻혀 집으로 가는 열차를 놓쳐버렸다.

늦은 밤에 나는 당신의 전화를 받는다, 긴 긴 겨울밤—

개똥철학

누군가 보고 싶다는 것이
단잠을 깨우는 이유일 수는 없다.

누군가 그리워한다는 것이
대화를 방해하는 핑계일 수는 없다.

누군가 사랑한다는 것이
일상에 무시로 끼어드는 권리일 수는 없다.

내가 뱉어낸 무수한 말들 속에서
돌이켜 보면 건질 것 하나 없다는 깨우침이
모순의 시대, 나를 버티게 하는 힘이다.

추석

한가위 대보름달 보며
그 빛에 가리워진 별들을 생각한다.

북극성도 남십자성도
달 뒤에 숨어서는 어쩔 도리가 없다.

그대여,
내 인생에 달같이 드리운 사람아

이 세상 어떤 별도
그대 덕분에 나에게 빛을 잃은 지
오래 되었나니

이제 그만 그러지 말라는 말 거두시고
나에게 평생 한가위 보름달 같은
그대 존재를 허하소서.

제3부 해민

해민: '해 아래 민들레'를 줄여 쓴 말. 역사와 죽음에 관한 시들을 모아 놓았다.

상처

상처는
언젠가는 치유되고 잊혀지고
이윽고 흔적도 남지 않지만
상처 하나하나에 대하여
100조 개의 세포들이 뜻과 힘 모아
처절하게 맞선 투쟁의 기록이
한 사람의 인생이요
인간으로 세상을 견디는 힘의 근원이다.

무시로 되풀이되는
이 가슴앓이.

4.19

기억하지 않으면
과거란 없는 건가
몸에 새겨진
숱한 상처와 흉터가
내가 모르는
나의 과거까지 담고 있듯이
이 땅에 남겨진
무수한 상흔들
파묻고 또 파묻어도
불감증의 무리들이
오로지 폭력에만 탐닉해도
언 땅
시나브로 녹아
어디선가 진달래 핀다.

팽목항

세월은 가도
세월호는 그대로 멈춘 곳,
팽목항에서
하늘을 올려다본다.

별이 많다.
해도 달도 없는 밤,
하늘 바다 섬이 하나이고
잔물결에 부서지는 윤슬처럼
별빛이 쉴 새 없이 반짝인다.

창졸간에 304떨기 꽃이 진 후에
무고하고 억울한 죽음들이
팽목항으로 와서 별이 되는 까닭이다.
별이 되지 못하는 죽음도 있다.
여덟 가족 아홉 사람이
세월호에 아직 남아 있다.

주검을 찾은 부모는
남은 부모에게 미안하다고 말하고

남겨진 부모는 축하한다고 하는 것이
자식 잃은 부모들이 나눌 얘기는 아니지요,
딸을 찾지 못한 죄로
볼모 아닌 볼모가 되어
세월호 집회 한 번 가지 못하고
은화 어머니는 팽목항을 지키고 있다.

아직 돌아오지 못했으므로
합동분향소에 영정을 넣지 못하고
은화야,
너와 내가 맞바꿀 수만 있다면……
메모 한 장으로 대신한 채
2014년 4월 16일을 395일째 살고 있다.

어떤 사람은 배가 왜 떠났냐고 묻고
어떤 사람은 책임자 처벌이라고 말하고
어떤 사람은 진상 규명이라고 얘기하고
어떤 사람은 특별법이라고 하더라,
진실을 인양하라는 건
각자가 알고 싶은 진실이더라,

오로지 정부가 국민을 끝까지 책임져야
이 땅에서 살아갈 수 있는 기초가 된다며,
은화 어머니는 나직하고 처연하게 흐느낀다.

눈물샘이 바닥까지 말랐어도
두레박에 금세 눈물 가득 퍼 올리는 곳,
부모 여읜 슬픔조차 축제로 달랬던
진도 다시래기 놀이가 무색하게
팽목항에는
아직 별이 되지 못하고
구천을 떠도는 아홉 영혼이 있고,
그 가족들과
어느덧 가족을 자처하는 수백만의 간절한 바람이 있다.

봄

찬바람 밀어내고
여봐라, 새순 돋는다.

겨우내 도망친 동무들아
봐라, 봄이 온다.

만물은 이 앙다물고 살아
기어이 제 모습으로 되돌아오는데

애통하고 절통한 지난 봄 님들, 넋들,
천만의 백팔배로도 살릴 수 없느냐.

너,
봄 아니다.

4월 16일

배꽃이 피긴 피었는데
암술과 수술이 수정하려는 찰나
느닷없이 한파에 얼어붙어
올해 수확은 다 틀렸다고
농부의 얼굴에 수심 가득한 날
목련이 커다란 숲을 이룬 곳으로 갔다.

싯누렇게 타버린
아니 얼어붙은 목련꽃 아래
베르테르의 편지도
풀피리 소리도 들리지 않고
폭풍우처럼 세상을 뒤덮은 통곡과 절규.

삽시간에 스러진 생명이
하나, 둘, 삼백 넷,
살 만큼 살았더라면 어차피 흘렸을
눈물 미리 만들고 모아
남은 사람들에게 남겨 주고 갔구나.

그 날로

세월은 딱 멈추었다.
잊지 않겠다고,
용서하지 않겠다고,
세상의 모든 눈물들이 서로 손잡고
들불이 되어 노랗게 불타고 있다.

4월

흐드러진 꽃잎들 하나하나
그리운 얼굴들 아로새겨져 있다.

그 중에 예쁜 꽃잎 하나
술잔에 띄운 채 가만히 밤 지새고
가장 슬픈 모습을 띤 꽃 이파리
내 손등에 올려 두고 밤새 보듬으리.

꽃 아니더라도
4월은
눈길 가는 곳마다 그리움인데

사무치는 한과 그리움조차 가로막고
잊어라, 잊어라, 짓밟고 모욕하는
너희들은 실로 인간이 아니다.

꺼지라고, 버티어도
우리가 기어이 되찾고 말겠다고
눈물방울마다 피톨로 벼린다.

오죽하면

나라면
어떤 일이 있어도
도저히 견딜 수 없는 일이 있어도
절대 죽지 않겠다.

내 스스로
목숨을 끊지 않겠다.
살아 있음으로
내 울화와 분노와
처절한 복수심을 증명하겠다.

이렇게 살았다
이렇게 나를 다스렸다.
나 어렸을 적에는
모두 나처럼 사는 줄로만 알았다.

아니었다.
언젠가부터 세상이 미쳐서
사람들을 죽음으로 몰아넣기 시작했다.
아무리 모질게 살자 해도

명박산성처럼 여지없이 가로막는 사회,
가공할 살인 행렬이다.

멀쩡한 목숨들을 허공에 매달고
버둥대는 아이를 강물에 던지고
아파트 옥상에서 뛰어내리게 하고
독극물을 입 속으로 들이밀었다.

자살이라는 이름으로
새로운 밀레니엄의 첫 해
하루에 19명을 저승으로 보냈고
불과 10년 만에
우리는 날마다 44명씩 무참히 죽이고 있다.

오죽하면 제 목숨을 끊겠느냐,
그런 말은 더 이상 하지 말자.

비정한 자본과
동물보다 야만적인 인간,
300 아이들을 죽이고 그 위에서 잠자는

정치가 모두 살인자요,
침묵하는 우리가 모두 공범이다.

이제 정말로 이 사슬 끊자.
우울병 이웃에게 약을 먹게 하고
외톨이 아이에게 손 내밀어 함께 살자.
막장에 갇힌 세 모녀, 독방에 격리된 노인들,
저승사자 찾아내 쫓아 버리고
활화산처럼 홍수처럼 들고 일어나
부패하고 부정한 세상을 뒤엎자.

너도 알고 나도 알고
하늘땅이 진작 아는 얘기를
주제넘게 떠든다고 야단하지 마라.
오죽하면
못난 나조차 이런 말을 하겠느냐.

슬픔 지나고 그리움
-故 김준 동지 5주기에 부쳐

준,
세월 참 빠르네.
이승과 저승의 경계에서
마주 잡은 손 끝내 놓지 못하고
목 놓아 그대 이름 불렀던 일이
벌써 5년이나 지났단 말인가?

준,
그해 11월 이후
그날처럼 세차게 쏟아지는 겨울비는
어디에서도 만나지 못했네.
우리를 완전히 에워싼 채 두물머리까지 동행한
그 비는 정녕 그대 눈물이었단 말인가?

준,
억새밭 사이로 그대 홀연히 가고 난 후
세상에 일어나는 모든 일과 인연들
어느 것 하나 예사롭지 않구나.
11월 텅 빈 벌판에 잎 지고 바람 부는 것조차

그대 얼굴 그대 목소리 아련히 담고 있네.

준,
세월은 우리를 5년만큼 늙게 했지만
그대는 여전히 젊고 아름답고 의연하구나.
젊은 그대 이름 부르며 나를 일깨우고
아름답고 의연한 그대 알리며 세상을 바꾸자 하네,
그대가 꿈꾸었던 또 다른 세상으로.

준,
그대 보낸 슬픔이 끝 모르고 달려가더니
5년 세월 지나고 이젠 하염없는 그리움이네.
살아생전 그대가 늘 그랬듯이
눈 부릅뜨고 우리 세상살이 좀 봐주게.
혹여 삐딱하거들랑 죽비처럼 번개 한 번 때려 주게나.

다시 무덤 하나
−故 이용석에게

밤 9시와 10시 사이
망월동 옛 묘역
둥근 달 아래
줄기가 황토처럼 붉은 소나무 아래
직사각형 무덤 하나
수백 송이 국화에 묻혔다.

바로 그때
죽은 이용석 동지가 벌떡 일어서더니
꽃잎처럼 너울너울
수백 동지들의 어깨 위로 날아다녔다.
찬바람이 무색했다.
임을 위한 행진곡이
끝없이 반복되고 있었다.
듣다 보니 비정규직 철폐가로 들렸다.

속절없는 눈물이 싫어
소나무 가지, 달, 구름, 하늘
어디다 시선을 두어야 하나

슬그머니 자리를 떠나
옛 이름들이 그 자리에 있는지 둘러보았다.

90년 광주 순례 길에
바로 내가 탔던 열차에서
경찰의 검문을 피해 뛰어내리다 죽은
신장호가 첫 눈에 보였다.

89년에 잇따라 의문의 죽음을 당한
이철규와 이내창도 여전하고
87년 직격탄에 죽은 이한열
91년 백골단에 맞아 죽은 강경대
82년 감옥에서 단식으로 죽은 박관현
86년 양키고홈을 외치며 분신했던 이재호
모두 모두 그대로 있다.

거기에 다시 무덤 하나
비수처럼 산 자들의 가슴에 꽂혔지만
비정규직은 죽어야 정규직이 되는

빌어먹을 세상은 언제나 끝낼 것인지
끝내 대답하지 못한 채
갔던 길을 터덜터덜 되돌아 왔다.

故 장수찬에게

대학 시절 불과 몇 년을 함께 지냈을 뿐
그 후로는 내내 다른 곳에서 다른 인생을 살아왔건만
불현듯 그립고 보고파지는 동무들이 있다.

이따금 생각이 나더라도
저마다 붙박인 곳에서 열심히 살다가 보면
언젠가 한 번쯤은 만나서 얼싸안는 날이 있을 줄로만 알았다.

그렇게 한 번만 만나고 나면
30년 가까운 이별의 시간들은 쉽사리 건너뛴다고 믿었고
실제로도 지금껏 숱한 만남들이 그러했다.

어느 날 갑자기
이역만리 먼 곳에 사는 동무에게서 전해진 너의 죽음 소식은
내 경험과 믿음이 참으로 속절없다고, 비수처럼 나를 찔렀다.

운전석 머리받침에 퉁, 퉁, 뒷머리를 치면서
내가 무수히 되풀이했던 혼잣말은
늦었다 이미 늦었다 이미 늦었다 아주 늦고 말았다.

그렇다 나는 26년 동안 너를 만나지 못한 채 살았고
네가 삶과 죽음의 갈림길 위에서 심신의 온갖 고통을 견
디던 지난 1년 동안에도
나는 까마득히 너를 알지 못하고 내 일에만 미친 듯이 몰
두했었다.

만나지 못했으니 나에겐 여전히 20대의 얼굴로 새겨진 수
찬아!
무엇 하나 대충 살아갈 수 없었던 80년대, 군부독재, 졸
업정원제, 학도호국단, 소모임, 아크로폴리스, 약원제, 자
취방, 당구장, 그 모든 기억 속에서 너는 나이고, 너는 우리
이다.

무어라 말할 수 없이 애석하고 아픈 너의 죽음 앞에
나를 직접 나무라는 사람은 아무도 없지만
늦가을 비바람에 잎 지고 추위가 오는 것마저 내 탓인 듯
내가 나를 책망한다.

미안하다 너를 앞서 보낸 것,
미안하다 너를 보내고 나서 비로소 깨닫는 것,

이제서야 미안하다, 많이 보고 싶었다, 많이 보고 싶다.

네 인생에서 가장 찬란했던 한 시절을 내가 기억하고 있으니
너는 죽었지만 아직 살아있고 이 세상에 없는 듯 지금 여기
엄연히 있다,
미안하다, 이것 또한 살아있는 내가 남겨진 나를 위로하는
방식이다.

너 가고 나서도 한참 시간이 흐른 이 새벽에
잠을 청하고 또 청하다 말고 일어나 이렇게 너를 불러 본다.
이러면서 나는 너를 급기야 보내고 말 것이다, 수찬아, 잘
가라.

한 때 네가 꿈꾸었던 세상 속에 나와 우리가 있으리라 여겼
던 것처럼
이제 영원히 잠든 너의 피안에서는
네 평생의 삶이 오롯이 아로새겨진 모든 씨앗과 열매들이 함
께 하리라.

故 박성오 동지여 고이 잠드소서

유전노조에 가 본 적이 있는지,
동지여 그곳은 겨우 열여섯 평의 작은 공간에
창가에 책상 하나
물끄러미 입구를 마주 보며 놓여 있고
4개의 책장과 4개의 서류함들
회의용 탁자 둘과 의자 열 개
6인용 소파와 탁자
그리고 두 대의 컴퓨터와 두 대의 프린터
각자 다른 벽을 바라보는 사이로
사무원이 쓰는 작은 책상과
그 위에 놓은 팩스, 전화
그것이 전부다
참, 10리터 용량의 작은 냉장고 하나
모서리에 죽은 듯 박혀 있지.

하여튼 좁게
게다가
좁은 공간을 더 좁게 갈라놓은 간이 칸막이
거기에 몇 년째 걸린 걸개그림 한 폭
녹두장군의 부릅뜬 눈 치뜨려 올린

상투 위로 쓰였으되
'우리가 의를 들어 이에 이르름은
그 본의가 결단코 다른 데에 있지 아니하고
창생을 도탄 속에서 건지고
국가를 반석 위에다 두고자 함이다
안으로는 탐학한 관리들의 머리를 버히고
밖으로는 횡포한 강적의 무리를 구축하고자 함이다
조금도 주저치 말고
이 시각으로 일어서라
만일
기회를 잃으면 후회해도 미치지 못하니라'*

여기에서 한 사람이 살다 갔다
전국전문기술노동조합연맹
유전공학연구소노동조합
故 박성오 위원장
52년, 전쟁 중에 공주에서 태어나
형님 넷 누님 둘의 귀여움

---

* 갑오년 호남창의격문 중

혼자서 고스란히 받으며 크더니
이 겨울 아침 찰나의 사고로
그 형님 누나 다들 뒤에 두고
부인과 어린 남매 세상에 남기고
마흔 두 살의 아직 젊은 나이로
20대 못지않은 단단한 가슴팍을
붉은 심장을
언 땅에 묻었다
만장 속에
아련한 만가 속에
눈물 속에
우리는 그를 묻었다
누구라도 문을 열면
싱긋 웃으며 반겨 주던 기억은
지금은 빈 책상으로
썰렁한 사무실로
여기에 덩그러니 남아 있다.

그러나 남은 것이 어디 친지며 가족이며
우리 몇몇의 짧은 기억뿐이랴

생전에

짝사랑보다 더한 그리움과 안타까움으로

얼싸안던 140여 조합원들

과기노협의 5,000여 동지들

나아가 연맹의 15,000여 식구들과 함께 나눈

87년 이래의 투쟁의 역사가 있다

나란히 서서 내지르던 우렁찬 함성이 있다

한 번도 싸움에서 선봉이 된 적 없지만

사람들이 다들 힘들어할 때

주눅 들어 있을 때

더 이상 일꾼들이 눈앞에 보이지 않을 때

언제나 선뜻 나섰으니

2대와 5대, 그리고 6대 위원장으로서

그의 발자취는

유전노조 역사의 반을

혼자서 감당하고도 남아

이제

우리들 일상의 짐짓 식어 버린

열정과

게으름을

보이지 않는 곳에서 질타하고 있다.

부드러운 사람
온화한 사람
사람들은 그렇게 표현한다
그런 그는
무엇보다도 낚시를 좋아했다
3년 전쯤의 일이다
여름 폭우로 갑천이 넘치자
사람들은 서둘러 귀가하기에 바빴는데
다음 날 그가 말하기를
자기는 정말로 바빴노라
아, 글쎄
갑천에도 손바닥만한 붕어가 올라오더라
밤 9시까지 신명이 나서 낚싯대를 드리웠노라고
그랬다
우리는 모두 웃었다
그 천진한 웃음이 반가워서
절망이라고는 찾아볼 수 없을 것 같은
환한 얼굴이 부러워서

우리는 함께 웃었다.

어쩌면 우리들 중 몇몇은
알지 못하는 사이에
그가 드리운 낚싯대에 걸려
오늘도 이렇게 노동조합을 찾고 있는 것이나 아닌지
밤마다 그를 꿈꾸는 것이나 아닌지
이 저녁 갑천변을 걸으면서
우리는
녹두장군의 눈보다 더 선연한 빛으로 살아
남아 있는 우리를 채찍질하는
그의 지긋한 눈초리를
온몸으로 받는다
실팍하고 뜨거운 가슴으로 기꺼이 맞는다.

위원장이시여,
고이 잠드소서.

눈이 펄펄
– 김포 우리병원 장례식장에 다녀옴

　김포는 공항 아니면 평야였다 내겐 공항 아닌 김포에 올
일은 없었다 살아서는 얘기 한번 나누지 못한 어느 동지가
스스로 허공에 몸을 던졌다 하여 분함과 노여움과 애달픔으
로 마침내 김포에 왔다.

　눈이 펄펄 내린다 소복처럼 하얀 눈이 소복소복 내린다
세상에 치이고 사람에 밟혀 병을 얻고도 병을 병이라 부르
기를 거부하고 약도 거부하고 그저 처절하게 고독과 싸우고
죽음에 저항했던 삶은 찰나에 허공을 가르는 빛이 되었다.

　그래 죽음마저 빛이라 하자 무상한 빛 아래로 동지들이
모여들어 뒤늦은 탄식과 울음을 소주잔에 채워서 들이킨다
여기에 필시 깊은 우울을 앓고 있는 동지가 또 있을 테지만
그가 누군지 아무도 알지 못한다는 것이 산 자들의 죄이다
이대로는 도저히 씻을 길이 없다 더 이상은 죽지 말자 살아
서 함께 싸우자는 맹세조차 부질없다.

　김포를 벗어나는 길에도 눈이 펄펄 내린다 환장하겠다 송
이 송이 하얀 꽃송이마다 앞서 간 동지들이 번갈아 나타나

아는 체를 한다 어디로 가야 하나 무엇을 해야 하나 내 생애
에 단 하나의 생명이라도 죽음의 문턱에서 끌어낼 수 있을
까.

  어깨 위로 속절없이 내리는 사념을 툭툭 털고는 총총 총
총 발걸음을 재촉한다 언제까지나 이렇게 도망치며 살 것인
가. 나여, 나의 동지들이여.

명복
-故 최종범 영전에

언필칭 민주노조 시대,
우리는 너무 많이
고인들의 명복을 빌어 왔다.

나는 더 이상 못하겠다.

명복 같은 거,
이건희한테나 줘버리자.
숱한 청춘들을 앗아갔으니
이젠 당신 차례 아니냐.

결사! 투쟁!!
이 구호도 바꾸어야 하겠다.
함께 살자~ 사람답게~
이게 온전한 목표 아니겠나.

괴물 같은 세상에서
나도 시나브로 괴물이 되어간다.

죽음이
처연한 분노가 아니라
끓어오르는 활화산이 아니라
그냥 슬픔이기만 한 세상을 만나고 싶다.

故 김종배에게

국화 한 송이
가느다란 향 한 줄기
두 번의 큰 절

그밖에는
아무것도 바칠 것 없네

거푸 들이키는 술잔
남몰래 흘리는 눈물
허허로운 탄식과 회한이라니

그밖에는 또
아무것도 할 일이 없네

언제나
살아남은 것이 부끄러움이었고
모진 삶이 도리어 호사스러웠던 터라

검은 뿔테 안경 안에서
온화하게 빛나는 눈빛

조용히 다문 입술

그 얼굴 아래
나는 고개 들지 못하고
찰나
먼지와 티끌로 부유하는 꿈을 꾼다.

어디서든 다시 살아나거라.

어느 젊은 벗의 죽음

한 사람이 죽었습니다.

그는 36살밖에 되지 않은

젊은 노조 위원장이고

9월이면 첫돌이 되는 예쁜 딸아이의 아빠이며

분명히 그를 믿고 따랐을 한 지어미의 남편이었습니다.

금요일 밤 그리 늦지 않은 시간에

어떤 행사장에서 그가 나를 찾아와 반갑게 인사를 나누었고

술자리에 오래도록 남아 있던 우리 일행과는 달리

그는 집 근처에 살고 계시는 부모님을 찾아뵙고

평소처럼 얘기를 나누다가 집으로 돌아갔답니다.

모든 것은 일상적이었고

특별히 그의 죽음을 예정할

아무런 징조도 없었습니다.

그러나 그것이 끝이었습니다.

다음날 새벽에

그는 아내와 딸 옆에서

갑자기 숨쉬기를 고통스러워하다가

그대로 세상을 떠나고 말았습니다.

어제 아침 그의 죽음 소식을 듣고

오늘 늦은 시간에야 비로소

공주의 어느 교회에 차려진

그의 빈소를 찾았습니다.

아직 젊어 보이는 망자의 아버님이 나를 맞았고

나는 위로의 말조차 꺼내기가 힘들었습니다.

그 크나큰 슬픔 앞에 무슨 말로 감히 위로하리오,

밤을 지새우는 동지들을 두고

혼자서 금강변을 달려오면서

나는 우리들 평생에 늘 곁에서 함께 다니고 있을

죽음이라고 일컫는 친구에 대하여

단지 젊다는 이유만으로 외면했던 것이 미안했습니다.

이미 많은 사람들이 젊어서 이 세상을 떠났고

어떤 이는

그것만으로도 나의 생애를 한껏 바꾸어 놓았는데 말입니다.

문상

눈 온다 눈 온다
서울에서 대전으로
영안실로 간다
벗들이여 제발
나보다 오래 살아라.

같은 또래 조합원 한 사람이
젊은 나이에 암으로 세상을 떠났다.
서울에서 회의 끝내고
술잔 연거푸 들이킨 다음에
동지들과 함께 부리나케
충남대병원 영안실로 가는 길에
눈을 만났다.

펄펄펄 내리는 눈이
먼저 간 넋들이요 영혼인 듯하여
두런두런 얘기 나누던 것 잠깐 멈추고
몇몇 동무들에게
문자메시지를 이렇게 보냈다.
곧 답장 하나 왔다.

술자리에서 그러하듯
가는 길 챙겨 주셔도 될 듯해요
언젠가 말씀하셨듯이
제 장례식에도 와 주세요.

흑, 숨이 막혔다.
모르는 사람들 경건하게 보내는 것과
얼굴 익히 아는 사람을 보내는 것이
하늘과 땅 끝처럼 다른데
이미 나는
너무 많은 동지들을
저 세상에 먼저 보냈다는 것을
당신도 알고 있으면서
그렇게 가혹한 말을 하시다니.

술잔 권커니 잣거니 하는 사이에
눈은 더욱 자유분방하게 지상으로 회귀하고
떠나는 사람 떠나게 하자며
돌아오는 길,
어떤 동지가 전화를 걸어서는

바람처럼 와서 끗발만 죽이고 가냐고 타박한다.

자주 만나지는 못했지만
동안의 미소와 차분한 어조가
세월 가도 잘 지워지지 않을
故 장영조 조합원의 명복을 빈다.
이승에서의 병고 다 잊으시고
영혼에 오로지 평화 깃들기를!

출근길에 내리는 비
– 故 황혜인 양을 추모하며

어두운 빗길에도 개나리
저 혼자 시리도록 눈부시구나.

길가에 늘어선 회양목
함초롬히 빗물 머금어 맘껏 푸르르구나

만물이 저렇게 소생하는 이 봄날에
어이하여 너는
그리도 처절하게 불타며 가버린 게냐?

제발,
끝내 살아서 함께 싸우자
남아서 죄 많은 이들아, 우리 동무들아!

떠남

밤늦은 시간에 깨어 있다가
한 통의 전화를 받았다.

곧 우리 곁을 떠나게 되는 사람과
그를 좋아하는 사람들이
한 동무의 집에 모여 있다.

떠나지 않는 방법은 없는가,
그들은 그런 얘기들을 한 듯하다.
남아 있는 사람들이 할 일은 무엇인가,
또 그런 얘기들도 했음직하다.

목소리들은 취해 있었으되,
모두가 말짱했다.
사람에 대한 애정으로 튼튼했다.

하지만 나는 아무 말도 못했다.

살아오면서 만난 참 좋은 벗들,
그들이 떠나려 했을 때

나는 늘 가서는 아니 된다고 말로만 외쳤을 뿐
가지 못하도록 만들지는 못했다.
끝내는 대책도 없이 허둥지둥 보내고
오래도록 그들을 기억하고 있다는 것으로
작은 위안과 변명으로 삼기만 했다.

지금 떠나려 하는 사람아.
가지 마라,
가도 아주 가지는 말아라,
이런 얘기가 무슨 소용이 있겠느냐.

아침이면
늘 새 길인 듯 나섰다가
저녁이면 변함없는 일상에 지쳐 돌아오는
우리네 삶의 쳇바퀴 위에서
떠나는 당신은
남아 있는 나보다 행복하다고,
이 새벽에 속절없이 혼자 중얼거리고 있다.

제4부 윤슬

윤슬: 햇빛이나 달빛에 비치어 반짝이는 잔물결. 다시 살아갈 일상과 희망에 관한
     시들을 모아 놓았다.

2015년 새해

가없는 안개 바다,
해가 솟을까 말까 주춤거린다.

겨울나무들은
실핏줄 같은 뿌리를 하늘로 치박아
쿨럭쿨럭 해의 심장을 빨아먹는다.

녹색 등이 켜졌어도
믿고 달릴 수 없는 나라.

내리 달리다 다칠세라
길 한가운데 멈칫 서서
저 해를 다시 본다, 작년에도 너였지.

새해

매일 아침 뜨는 해를
새해 첫날 해 보듯이
경건한 열정과 다짐으로 봤으면 좋겠고,

날마다 만나는 사람들을
새해 덕담 건네듯이
몸에 익은 친절과 사랑으로 대했으면 좋겠고,

끝날 줄 모르는 일과 사건들을
새해 첫날의 일기처럼
차분하게 응시하며 풀어 갔으면 좋겠고,

내 일상의 작은 고민과 몸짓들 속에서
내가 아직도 자라고 변화한다는
조짐이나 증거를 봤으면 좋겠다.

새해, 소망

마음속에 파도처럼 일렁이는 생각들 애써 누르지 말고 거리낌 없이 내뱉으면 좋겠다 언제나

엎어진 김에 쉬어간다고 했겠다 몸이든 마음이든 혹여 아프고 지치면 시간 아낌없이 드러누워 긴 휴식을 취하면 좋겠다 어디에서나

약자에게만 군림하고 호령하는 자들이 도처에 널려 있지만 눈물을 삼키며 안으로 병을 키우지 말고 한바탕 경을 치면 좋겠다 누구에게나

하고 싶은 일들은 반짝반짝 빛나지만 막상 시작하는 것은 일부에 지나지 않으니 더 늦기 전에 한껏 저지르면 좋겠다 그 무엇이든

밤이나 낮이나 볼 수 있거나 떨어져 있거나 시시각각 변화무쌍한 소망을 키우며 나 이렇게 산다. 그대들 모두 내게 참 소중한 사람, 세상 끝까지 맑고 씩씩하고 행복하여라.

안개

언제부터인가
나의 삶도
내가 발 딛고 있는 이 곳,
이웃 동무들의 인생도
깊은 안개에 둘러싸여 있었음을
이른 아침
안개에 갇히고 나서야 깨달았다.

그동안 헤맸던 것 모두
길 찾기에 지나지 않았구나,
치열한 투쟁이 아니었구나.

겸허하라,
눈높이를 맞추라,
깨달음은 항상 뒤늦게 찾아오고
후회를 모르는 사람은
바윗돌을 다시 굴린다.

봄비

작은 식당 하나 열고 싶다.
일인용 식탁이라고
버젓이 간판 내걸고
혼자 사는 사람들
같이 살아도 쓸쓸한 사람들
엄마 품이 그리운 사람들
마음 둘 곳 없는 사람들
내 일인용 식탁으로 불러 모아
현미, 흑미, 갖은 잡곡으로 지은 밥과
탕, 국, 찌개 번갈아 차려 내고
소박한 제철 반찬들로 배불리고 싶다.
어릴 적 꿈 이야기
남몰래 짝사랑하고 아파했던 이야기
나이가 들어도
가슴 설레는 좋은 사람 이야기
맵고 떫고 고단하기만 한
요즘 세상사는 이야기
실패를 거듭해도 결코 포기할 수 없는
다른 세상에 관한 이야기
숭늉 한 그릇

때로는 막걸리 한 사발에 띄워
주거니 받거니 하다 보면
저마다 숨겨왔던 상처와 아픔도
꽃이 피고 지듯 스르르 나으리.
봄날 아침,
샛노란 산수유가 파들파들 비에 젖고
나는 하릴없이 꿈길로 날아간다.
꿈, 그리움, 희망, 웃음, 사랑, 사람들이
석류 속처럼 탱탱하게 어우러지는
살맛 나는 마을 하나 갖고 싶다.

함께 사는 세상

오늘 저는
동지들의 얘기를 있는 그대로 듣고 싶습니다.
신자유주의와 창조경제라는 망령에 쫓기고
약육강식만을 좇는 야만과 폭력에 둘러싸인 채
이 시대를 힘겹게 살아가는 동지들의 얘기를
아무런 자기 검열도 없이
손질하지 않은 비린 것 그대로 싶습니다.
제가끔 다른 일터와 현장에서 일하는
5천여 동지들의 마음을 한 사발 막걸리에 녹여내고
우리가 함께 만드는 희망에 대해서 나누고 싶습니다.
동지들의 자유분방한 얘기가
가을 들판을 쩌렁쩌렁 울리며 세상을 호령하고
동지들의 몸짓이 너 나 할 것 없이 한 덩어리가 되어
운동장을 힘차게 구르는 모습을 보고 싶습니다.
모든 차별을 철폐하라!
모두 함께 인간답게 사는 세상을 만들자!
소박하기 짝이 없는 우리들의 구호가
꿈이 아니라 현실이 되도록 뜻과 의지를 모으고 싶습니다.
샛노란 은행나무 사이로 뉘엿뉘엿 해가 지는 시간까지
노동자의 이름으로
오늘 하루 신명나는 대동 세상 한 판 만들고 싶습니다.

희망

희망은 없다.

분노에 찬 자결과
억울한 죽음들,
이 모든 죽음들 앞에
죽음보다 못한 시대 앞에
허영에 찬 낙관은 버려라.

작은 생명 하나라도
내가 직접 살리겠다고
끈질기게 물어뜯고
악다구니를 쓰며 살아라.

너도 그렇게 살고
나도 그렇게 살자.

줄다리기

줄을 당기는 건
지구를 밀어내는 거대한 역사.

우리 내미는 손들의 따스함으로
서로 마음을 한 줄로 엮었다,
그래, 줄을 당겨오는 것이 아니라
상대방의 마음을 송두리째
우리에게로 끌어오는 것이야.

통일 세상,
그게 뭐 어려운 것이겠어?
서로 끌어당겨
한 덩이로 뭉치는 것이지
암, 그렇구 말구.

그러다가,
툭,
줄이 끊어졌다.

가을에

노란 은행잎이
거리를 우르르 몰려다니면
여지없이 가을이 다 가는 것이다.

계절은
시나브로 바뀌더라도
내 의지로 철들지 않을 수 있다.
어쩌면 오만일 수 있지만
인간의 엄연한 능력이다.

철들지 말자,
그렇다고 철부지가 되지는 말자.

세상을
우리에게 길들이며 살자
세상을 그렇게 바꾸자.

추운 날

엄동의 저 도도한 추위도
나를 어쩌지 못한다.

설한의 저 살기등등한 한파도
너를 어쩌지 못한다.

우리 사이
무아일체의 시공간에서
극한의 냉기라도 머물 곳이 없다.

마주 잡은 손 놓치는 순간,
부둥켜 잡은 어깨 벌어지는 찰나,
살기 어린 수은주가 번개처럼 타격한다.

야만의 땅보다 더 척박하고
동물의 왕국보다 더 비정한 세상에서
제대로 살기 위하여 하나 되어 버티리.

내공

연설을 받아 적으면
유려한 산문이 되는 사람이 있다.

술주정 따라 적으면
그대로 시가 되는 사람이 있다.

네 활개를 허공에 휘저으면
한 폭 그림이 되는 사람이 있다.

살포시 한 번 웃기만 하면
두근두근 음악이 되는 사람이 있다.

꿈을 꾸면 꾸는 대로
보란 듯 새 세상이 되는 사람이 있다.

내 나이 쉰 셋,
도무지 권태에 빠질 수가 없구나.

오래된 식당 '내집'
– 김호규 동지에게

앉은뱅이 책상 하나만으로
세상의 전부인 것처럼 살던 때가 있다.

거기 혼자 밥을 차려 먹고
둘러 앉아 공부와 토론에 매달렸고
그 위로 엎어져 잠들기도 했다.
동무들이 모이면 기꺼이 술상이 되었다.

단칸 사글세방에서
우리 꿈은 소박했지만 치열했고
미래는 다른 세상으로 활짝 열려 있었다.
함께 꾸는 꿈은 현실이 된다고 믿었던 때였다.

세월은 기대 이상 역동적으로 흘렀다.
어느덧 시집가고 장가들더니
우리에게도 집이 생겼고
저마다 버젓한 방과 책상을 갖게 되었다.

방과 방 사이,

집과 집 사이,
세상의 모든 벽이
사람과 사람 사이에도 공고하게 쌓였다.

누군가 소리쳐 외치지 않으면
거실이든 광장이든 모이기 어려운 시대,
다른 세상을 향한 열정은 변치 않았다고 말하지만
꿈도 현실도 강물을 거슬러 갈래갈래 샛강을 이룬다.

대전 대흥동, 오래된 식당 '내집'에서
지난날 우리 집들과 이웃들을 다시 본다.
그래, 다락방 드나들 때처럼 자세 낮추고
장터 뒷골목 누빌 때처럼 새로 힘을 내야겠다.

나부터 앉은뱅이 책상이 되고 밥상이 되어
내 집과 벽이 '내집'처럼 스스럼없이 열리도록 하리라.
사통팔달하는 진보정치의 길을 찾고
다시 하나로 크게 흐르는 물길을 만들어 가리라.

어떤 만남

형, 나는 음악을 하잖아.
나는 감각으로만 판단해.
나는 형을 무척 좋아했어.
나에게 꿈이 뭐냐고,
저 하늘의 모든 별들이
반짝이는 것처럼
사람들은 모두 꿈이 있다고,
꿈을 찾아 가라고
얘기한 사람은 형밖에 없었어.
형의 말을 듣고
나는 다시 음악을 시작했어.

나는 형을 좋아해,
아니 좋아했었어.
지금은 이유 없이 형이 미워.
당신이 밉단 말이야.
살이 너무 쪘어.
살부터 빼.
형이 만족하고 있다는 얘기야.
고통스럽게 살을 빼야 해.

그게 아니면 순수하든지.
형은 지금 순수하지 않아.
형의 눈빛을 보면
형은 지금 양아치와 다르지 않아.
왜?
자기가 뜻한 대로 못하니까.
운동은 눈치 보며 하는 게 아니야.

10년에 한 번쯤
우리는 이런 식으로 만났다.
그는 말하고
나는 끄덕인다.
세 번째 만남이 멀지 않았다.

서울행

비가
내린다.

토요일에
비가 내린다.

11월인데
비가 내린다.

가을비 한 번에
내복 한 벌이라,
살아 있는 것들
모두 움츠리고
꾸물꾸물
집으로 가는 주말

나는 대전,
서울로 간다.

광주도 거제도 울산도

여의도, 서초, 시청 간다.

내힘들다 → 다들힘내
이런 뒤집기가 우리 특기.

비야
밤새 내리라지.

근혜야,
까짓것 5년 당해 보라지.

2001년 명동성당

세상이 내 방이었다.
그게 좋았다.
성당의 종은 24시간 동안 꼭 네 번 울었다.
초저녁에 걸린 초승달이 지고
첨탑 아래 걸린 시계는 달처럼 환하게 빛났다.

언제 이토록 느긋한 마음으로
한곳에 퍼질러 앉거나 누웠던 적이 있었던가.
삭발, 단식, 점거, 천막 투쟁으로 이어진 세월,
96년 이래 우리네 일상이었다.
하룻밤 노숙과 단식이라고 하기엔 사치스런
겨우 두 끼의 밥 굶기는
60일의 짧지 않은 투쟁의 여정에서
그냥 육십분의 일의 몫이었다.

비장함이라거나
단호함이라거나
처절함이라거나
그런 것은 크게 없었다.
몇 장의 사진과 인터뷰, 그것도 늘 그런 정도였고

이제부터 싸움은 시작이다, 하는 말을 나는 참 싫어하지만
이 싸움은 정말로 오래갈 수밖에 없는 것이다.

오래 간다, 그것은
사람들한테 이 문제가 공유되기까지
꽤 오랜 시간이 걸린다는 것을 의미한다.
농성장에서 어떤 기사를 보았더니
지문만 찍으면 주민등록등본이 자동 발급되는
이를테면 자판기 같은 것이 나왔다고 하는데,
세상에, 지문 따위 아무렇지도 않게
찍어 대는 사회, 개인의 주민등록번호며 신상명세서가
붕어빵 봉투로 나다니는 사회, 여기에서
누가 나를 일상적으로 감시하고
나로부터 세상으로 연결된 모든 길들을
정부가 모조리 차단하고 있다고 해서
그게 무슨 큰일이 되겠는가.

그래도 싸움은 계속된다.
언제나 저항은 아름답고 싸움은 치열하다.
오래가야 할 싸움일지라도

오랫동안 지녀온 우리들의 덕목, 열정과 헌신과
세상에 대하여 끝 간 데 모를 애정으로
사람들은 지금 여기 이 땅에서
끝없이 싸우고 있는 것이다.

앞으로 30일, 누군가는 맨몸으로 눈을 맞겠구나,
별도 보이지 않은 서울의 밤하늘
거기에서 나에게로 달려오는 눈송이들이 보인다.
점점이 커진다.
사람들의 얼굴만치 커졌다.
여러 사람들이 이 골목 저 골목에서 나타났고,
눈사람이 완성되는 순간처럼
어느 순간 시계가 환해지면 내 동지들이 거기에 있었다.

술라가 그렇게 왔다 갔고,
을지로의 레코드 가게를 뒤지고 있던 진똘이
영화 잡지 한 권과 면장갑 하나 사주고 갔다.
황보 기자는 임신 중이라서 주로 내근이었는데,
그 다음날 사진을 곁들인 기사로 만남을 대신했다.
어두워지자

바람처럼 마당님이 달려왔고,
그는 푸소의 감기 몸살 소식과
지금은 미국에 살고 있는 김혜정 사부의
일시 귀국 소식을 함께 갖고 왔다.
혜화동에서 소고춤을 배우고 있던 김혜정은
끝나자마자 성당으로 달려왔다.

자정에 이르는 12시간 동안
여러 동지들의 전화와 문자 메시지가 왔다.
참, 이미 6년 전에 우리 연구소를 떠나 교수가 되어 버린
옛 동지가 목포에서 전화를 걸어와
여전히 열심히 살고 있느냐고, 나를 믿는다고, 격려했다.
오래된 수첩에서 우연히 내 이름을 발견했다고 했다.

나는 행복했다.
동지들은 멀리 혹은 가까이서
기꺼이 나의 침대와 이불이 되어 주었고,
그들로 하여 찬 대기는
콧등에서 잠깐 회오리바람을 일으켰을 뿐
금방 따뜻해지며 내 폐부를 들락거렸다.

명동에서
세상은 내 방이었고,
내 방은 하늘과 땅, 모든 곳으로 열려 있었다.

통근

세월은 뚜벅뚜벅
하루는 성큼성큼
낮은 거침없이
밤은 소리 없이
날마다 손톱은 자라나고
날마다 머리칼도 자라나고
인생은 저 홀로 늙어 가는데
멈추어 나를 돌아다 볼 새가 없다.

숱한 약속
잦은 다짐
거듭되는 반성과 그 시간들,
나는 까마득히 잊고
그대들만 오래 기억할까 걱정스러워
서울 대전으로 오가면서
하염없이
내 체세포와 뇌세포들을 뿌리고 다닌다.

천변길 따라
일렁이는 유채꽃이 눈부시다.

외딴 길

세상은
온통 붉거나
샛노란 늦가을인데
이 길은
아직도 푸르기만 하구나.

이대로
세상 끝까지 달리고 싶다.

번개 여행

해가 가장 일찍 뜨고
가장 늦게 지는 달,
6월에 하루쯤 땡땡이칠 수 있다면
정동진 해돋이 보며 하루를 시작하고
냉큼 속초로 달려가
황태 회 무침 얹은 함흥냉면을 흡입하거나
설악산 자락 바닷물로 굳힌 순두부로 해장하고,
만고강산 번개 유람을 시작해 보는 거야
정선 거쳐 영월 제천으로 갈까
횡성 홍성 거쳐 이천으로 갈까
어디를 가면 즐겁지 않으랴
산채 백반도 좋고 이천 쌀밥도 나는 좋네,
맛나게 푸지게 먹고 나서면
햇살은 콕 콕콕 양미간을 내려찍겠지만
차창 밖 풍경은 싱그럽고 푸르러
멈추는 자리마다 신선놀음이겠구나,
서쪽 하늘에 태양이 걸릴 때쯤이면
영종도가 보이는 정서진에 다다르고
이윽고 노을이 곱게 지고
내 눈동자 속 바다에 별이 내려 찰 때까지

침묵의 시간을 음유하리라,
저녁 한 끼쯤 건너뛰어도 좋으리,
배고프면 막걸리 한 통 마시고
나무 등걸에 기대어 한뎃잠을 자도 좋으리.

메르스(MERS)든 사스(SARS)든
바이러스 태생 그대로 티끌 되고 먼지 되어
내 어깨로 날아와 함께 신나게 놀겠지.

시집을 읽고

일상 뒤에 감추어진 세상보기
혹은 사람들에 대한 기억

양경규 (이성우의 오랜 동지)

1

시인이 되기를
꿈꾸지 마라.

너의 삶이
곧
시가 되게 하라.
– '서시' 전문

'시의 언어는 사물이며 산문의 언어는 도구'라고 일찍이 사르
트르가 「문학이란 무엇인가?」에서 어렵게 말한 것을 이성우
는 이렇게 아주 쉽게 풀어 놓는다. 사물이 그냥 존재함으로
써 그 의미를 드러내듯이 시 또한 사물처럼 그저 존재할 뿐
이라는 오래 된 명제를 이성우는 뚝 잘라 "너의 삶이 곧 시가
되게 하라"고 말한다. 삶 또한 사물처럼 그저 각자의 모습으

로 존재하는 것이므로 그는 우리들의 삶이, 우리들의 세상이 곧 시라고 말하고 있는 것이다. 이성우의 시에 대한 생각은 이 짧은 시구에 함축되어 있다. 그의 시에 우리 사는 세상의 모습과 우리들의 삶의 모양이 그대로 살아 있는 것은 바로 이런 연유이다.

발문을 부탁받았을 때 몇 차례 손사래를 치다가 엄두가 나지 않는 일을 떠맡게 된 것은 바로 이성우의 시가 곧 그의 삶과 다르지 않다고 생각했기 때문이다. 시는 잘 모르지만 적어도 그가 어떻게 살아왔는지는 좀 알고 있으니 그의 삶을 이야기하다 보면 생전 처음 써 보는 시집의 발문이라는 것도 되지 않겠나 싶었기 때문이다.

2

이성우는 꼴통이다. 그런데 그는 마음이 아주 따뜻한 꼴통이다.

내가 그를 처음 만났다고 기억하는 것은 25~26년 전인 1989~1990년 그 어름이다. 나는 그때 공공운수 노조의 전신인 전문노련의 부위원장을 맡고 있었고, 그래서 연맹의 주요 노조들인 과학기술계 출연 연구기관 노조들이 밀집되어 있던 유성 지역을 자주 드나들었다. 그즈음 이성우는 패기와 열정이 넘치던 청년 조합원으로 유성의 유전공학연구소 노조(지금은 한국생명공학연구원 노조이다)에서 풍물패를 이끌고 있었다. 아마 그 전에도 이런 저런 집회나 회의 자리에서 보았겠으나 내 기억에 남아 있는 그의 첫 모습은 그 어름의 이성우다.

그즈음 어느 날인가 전문노련의 중앙집행위원 모두가 투쟁 사업장 지원 집회와 중앙집행위 회의를 위해 하루를 온전히 유성에서 보내고 시스템공학연구소 노조 위원장 집에서 뒤풀이를 하던 자리, 이성우를 필두로 지역의 청년 노동자들이 자기들끼리 하루를 평가하며 힘찬 토론을 마친 뒤 뜨거운 가슴을 안고 '중앙 지도부로부터 운동적 영감'(?)을 얻기 위해 그 자리로 찾아왔다. 아뿔싸! 그런데 그 자리에서 중앙 지도부라는 사람들은 술판과 함께 화투짝을 쥐고 있었으니 이 얼마나 하늘이 무너지는 절망감이었을까! 서먹하게 시간이 조금 흐른 뒤 벌떡 일어선 사람은 이성우였다. "동지들!"이라고 시작한 그의 호통 소리가 지금도 먹먹하다. 말투는 딱 부러지지 않으면서도(딱 부러지기는커녕 그의 말은 경상도 사람답지 않게 답답할 정도로 느리다) 어찌 그리 빈틈이 보이지 않던지 공연히 눈길을 둘 데 없어 안절부절 하며 선배 그룹에 대한 운동적 비판에 속수무책으로 고개를 수그리고 앉아 있을 수밖에 없었다. 한편으로 부끄러워하면서도 입속에 뱅글뱅글 돌던 말이 있었다. 이런 꼴통!

아주 짧은 시를 쓰고 싶다.
한 마디 말로
주체할 수 없는 분노를 온전히 드러내고
단 한 줄로

세상의 부조리를 증명하고 싶다.
— '시' 부분

이 시를 읽다가 이 대목에서 나는 바로 그 20대의 청년 이성
우를 다시 보았다. 그 시절 그는 딱 이런 모습이었다. 거침
없이 온전히 드러내는 분노, 운동에 대한 어떤 타협도 거부
하는 뚝심, 어떤 권위도, 어떤 한계도 용납하지 않는 결기,
허튼 비판에 주눅 들지 않는 넉넉하고 당당한 태도, 웬만하
면 넘어갔으면 하는 대목에서 여지없이 손을 드는 꼬장꼬장
함, 그것이 내가 본 이성우였다. 한 마디로 꼴통이 되기에
전혀 부족함이 없는 모습이었다.
그리고 지난 30년 가까운 세월을 함께 걸으면서 나는 이성우
에 대한 첫 인상이 결코 틀리지 않았음을 확인할 수 있었다.
그러나 그때 내가 못 본 것도 있다는 것 또한 알게 되었으니
그것은 꼴통 같은 그의 삶 안에 누구든 발을 들여 놓으면 그
대로 눌러 앉게 되는 늘 따뜻한 아랫목이 감추어져 있다는
사실이었다. 뜨거운 전장(戰場)을 질주하다가 어느 사이 모
두의 아픔을 감싸며 넉넉한 자리 마련하고 술과 음식을 내어
놓는 사람, 그것이 바로 이성우였고, 그의 삶이었다. 그래서
그의 시는 역동적이지만 한없이 따뜻하다.

오늘 따라
썩은 음식의 풍미가 왜 이리 친밀하게 오느냐,
밤 이슥한데 밥 한 그릇 새로 지어
갈치의 시꺼멓게 썩은 창자들만 한 번 더 먹었다.

나도 저렇게 썩으면
어떤 사람에게든 기억에 담아둘 맛난 음식일 수 있을까.
– '야식' 부분

얼마 전 이성우가 산마늘(명이나물) 한 상자를 보내왔다. 간
장과 매실, 청주, 생수, 식초 등을 적당히 섞어 끓이고 식히
면서 쓸데없이 이런 걸 보내 번거로움을 준다고 구시렁거리
며 산마늘 장아찌를 담갔다. 억세고 억센 산마늘은 이런 저
런 삶의 희로애락을 섞어 만든 간장에 잠겨서도 그 파릇함이
며 꼿꼿함이 수그러들지 않았다. 그만 마음을 내려놓으라고
넉넉하게 받아들이고 썩어야 모든 사람의 기억에 담길 맛난
음식이 될 거라고 타이르며 나는 이성우의 시를 생각하고 우
리들의 삶과 운동을 생각했다.

이성우의 시는 산마늘처럼 한 시대를 꼴통으로 살아야 했
던, 그러나 늘 따뜻함을 잃지 않으려 했던 우리들 모두의 삶
을 담아내고 있다. 그는 때로는 주체할 수 없는 분노에 몸을
떨며 "끈질기게 물어뜯고 악다구니를 쓰며 살자"(희망), "홍
수처럼 화화산처럼 들고 일어나 세상을 뒤엎자"(오죽하면)고
날선 무기를 벼리다가도 큰 숨 내뱉으며 그래도 괴물로 살지
는 말자고, 사람답게 살자고 다짐한다. 그의 시는 마음 따뜻
한 꼴통이 살아가는 삶의 모습을 그대로 보여준다.

명복 같은 거,
이건희한테나 줘 버리자.

숱한 청춘들을 앗아갔으니
이젠 당신 차례 아니냐.

결사! 투쟁!!
이 구호도 바꾸어야 하겠다.
함께 살자~ 사람답게~
이게 온전한 목표 아니겠나.

괴물 같은 세상에서
나도 시나브로 괴물이 되어간다.

죽음이
처연한 분노가 아니라
끓어오르는 활화산이 아니라
그냥 슬픔이기만 한 세상을 만나고 싶다.
– '명복 – 故 최종범 영전에' 부분

이성우는 늘 누군가를 위해 무언가가 되고 싶어 하고 무언가
를 주고 싶어 하는 따뜻함을 잃지 않는다. 그는 이 야만의 땅
에서 마늘, 생강, 소금 같은 조연이 되고 싶어 하고(맛과 조
연), 세상을 따뜻하게 할 하얀 눈사람도 되었다가(눈), 함께
하는 사람들 넉넉하게 품어주던 메타세쿼이아가 되고 싶어
하기도 한다(메타세쿼이아). 그가 '그리움' 연작을 통해 드러
내는 것은 그 대상이 무엇이든, 그것이 마음속에 묵히고 묵
혀 온 새로운 세상에 대한 갈망이든, 늘 함께 하고 싶었던 이

땅의 가난한 사람들에 대한 사랑이든, 어느 날 갑자기 곁을 떠난 동지에 대한 안타까움이든, 아니면 젊은 날 가슴 시리게 했던 여인에 대한 그리움이든 자신을 아낌없이 비우고 내준다는 것이다. 운동을 한다는 것이 늘 누군가와 관계를 맺어 가는 일이고, 자신의 신념을 고집하기도 해야 하는 것이라서 이성우 정도가 되면 적이 생기기 마련일 텐데 그가 모든 사람에게 좋은 사람으로 남아 있는 것은 가슴 깊은 곳에 모든 사람을 위한 자리 하나를 늘 비워 두고 있기 때문일 것이다. 그런 삶이기에 일상적일 뿐만 아니라 때로는 유치하기까지 한 말들이, 혹은 이미 닳고 닳아 사어(死語)가 된 말들이 그의 시에서는 새로운 생명을 부여받는다. 이성우는 그렇게 온 세상 넘치는 그리움으로 무장하고 자신이 마련한 따뜻한 아랫목으로 사람들을 불러 모아 술과 밥을 내놓는다.

비가 올 때마다
본능처럼 몰아치는 가슴앓이,
우산 버리고
하늘이 뚝뚝 떨어지는 나무 아래 서서
온 세상 넘치는 그리움으로 무장하고 싶습니다.
- '그해 여름 - 그리움 7' 부분

작은 식당 하나 열고 싶다.
일인용 식탁이라고
버젓이 간판 내걸고
혼자 사는 사람들

같이 살아도 쓸쓸한 사람들
엄마 품이 그리운 사람들
마음 둘 곳 없는 사람들
내 일인용 식탁으로 불러 모아
현미, 흑미, 갖은 잡곡으로 지은 밥과
탕, 국, 찌개 번갈아 차려 내고
소박한 제철 반찬들로 배불리고 싶다.
……
……
숭늉 한 그릇
때로는 막걸리 한 사발에 띄워
주거니 받거니 하다 보면
저마다 숨겨왔던 상처와 아픔도
꽃이 피고 지듯 스르르 나으리.
– '봄비' 부분

3

이성우는 요리사다. 그런데 그는 사람을 버무리는 요리사
다.
세상을 바꾸기도 바쁜데 그는 요리 학원을 다니며 요리를 배
웠다. 나는 한때 참으로 한가하고 속편한 사람이라고 혀를
차기도 했었다. 너무나 바빠 분초를 나누어도 다하지 못할
혁명 과업(?)을 놓아두고 요리 학원이라니! 가사 노동을 분
담하고 아이들을 위해 얼마간의 음식을 만드는 것이야 기꺼

이 우리가 담당해야 할 몫이지만 학원까지 다녀야 하는지는 좀처럼 이해할 수 없었다. 그러나 그 시간을 운동의 영역에서 빼지 않고 오롯이 자신의 시간을 쓰는 데야 내가 어떻게 탓할 수 있었겠는가? 그렇게 그의 하루는 24시간 보다 늘 많았다.

그의 시간은 우리와 다르다. 이성우는 2005년부터 2006년까지 2년 동안 공공연맹의 사무처장을 맡았다. 집이 대전이므로 서울에서 사무처장직을 수행하는 것은 만만치 않은 일이었다. 집회에 회의에 뒤풀이까지 하다 보면 새벽 2~3시를 넘기는 것이 다반사였다. 연맹 위원장인 나로서는 늘 미안하기도 하고 걱정도 되는 일이었다. 그런 날이면 연맹 사무실 숙소에서 자고 아침을 맞이해도 되련만 그는 반드시 대전으로 갔다가 서울로 출근했다. 시간을 따져 보면 집에 갔다가 바로 다시 돌아와야 될 시간인데도 그는 어김없이 9시에 출근했다. 그것도 술 취한 날이 대부분이었는데…… 가족들의 아침 식사, 아이들의 도시락은 자기 몫이라는 것이다. 우리는 잘난 체하지 말라고 면박을 주기도 했지만, 그는 늘 그렇게 늦은 시간에도 대전으로 내려갔다가 올라왔다(물론 그는 회의 시간에 가끔씩 졸지만 로봇이 아닌 다음에야 어쩌겠는가!). 그는 지금도 그렇게 하루를 24시간 이상으로 만들며 살아간다. 하루에도 몇 번씩 서울, 대전, 대구 찍고 광주로, 부산으로 달리며 살고 있다.

우리끼리 모이면 이성우는 절대 집에 불러서는 안 되는 사람이라는 우스갯소리를 한다. 그를 불렀다가는 그냥 저냥 아슬아슬하게 평화를 유지하던 집안이 시끄러워질 거라는 것이다. 노동 해방, 성 평등은 밖에서 팔뚝질할 때나 하는 소리고 집안에서는 여느 집과 다를 바 없이 마초 근성을 드러내기 일쑤인 우리 같은 남자들에게 이성우는 질투의 대상이고 경계해야 할 사람이다. 그런데 그는 참으로 일상과 운동을 분리하지 않는 사람이다. 그가 요리를 배운 것은 우리처럼 요리를 그저 가외로 마지못해 하는 일로 보지 않았기 때문일 것이다. 우리가 운동을 위해 필요한 부분을 공부하듯이 그에게 요리는 삶과 운동을 위해 배워야 할 것 중의 하나였던 것이다. 이성우에게 요리는 평등한 세상을 만들어 가는 일이고, 함께 하는 사람들과 연대하는 일이고, 가진 것을 나누는 일 중의 하나였던 것이다.

그는 어느 자리에서든 새벽부터 밤까지 늘 모든 사람의 먹거리를 책임진다. 누구나 하는 요리를 하는 것도 아니다. 그가 직접 콩을 갈아 만들어 주는 두부는 두부 맛이 무엇인지를 새삼 느끼게 해준다. 술 먹은 날 아침에는 새벽부터 혼자 일어나 지상에서 먹기 힘든 황태국을 내온다. 어느 집에 가든지 냉장고에 남은 오래된 반찬은 그의 손에 의해 전혀 새로운 일품요리로 바뀌게 된다. 요즘 TV에 나오는 '냉장고를 부탁해'는 이미 이성우가 오래 전부터 하던 일이다. 하기야 어디 일일이 거론할 필요가 있겠는가? 이미 〈공공운수 노조신문〉에, 〈레디앙〉에 그의 요리 비법이 다 연재되었는데.

그러나 그는 단순히 음식만을 만드는 요리사가 아니다. 그는 맛있는 요리를 위해 온갖 식재료를 모으듯이 사람들을 불러 모아 사람들을 한데 어우르고 버무린다. 사람 낚는 어부가 된 사람이 있듯이 이성우는 사람을 버무리는 요리사가 된다.

품이 넓은 그의 팔 안에서, 섬세한 그의 손 안에서 사람들은
세상에서 가장 맛있는 사람이 된다. 그의 주변에 있는 사람
들은 그렇게 하나씩 의미가 되어 간다. 그는 그렇게 사람들
과 함께 다른 세상을 만들어 간다.

맵거나 달거나
외양을 화려하게 치장한 음식들은
재료 그대로의 맛을 도무지 알 길이 없다.

손맛은 뭐냐,
재료가 살아 온 내력을 살피고 읽어
더불어 사는 사람들에 대한 애정을 버무리고
그 모든 것을 조화롭게 만드는 세월의 무게라고 할까.
- '맛과 조연' 부분

연설을 받아 적으면
유려한 산문이 되는 사람이 있다.

술주정 따라 적으면
그대로 시가 되는 사람이 있다.

네 활개를 허공에 휘저으면
한 폭 그림이 되는 사람이 있다.

살포시 한 번 웃기만 하면

두근두근 음악이 되는 사람이 있다.

꿈을 꾸면 꾸는 대로
보란 듯 새 세상이 되는 사람이 있다.
- '내공' 부분

4

이성우는 약사다. 그런데 그는 병든 세상을 치료하고 싶은
약사다.

마음만 먹었으면 번듯하게 약국 하나 차려 놓고 흰 가운을
입고 앉아서 이런 저런 약을 처방해 주거나 아니면 연구소
실험실에 불 밝히고 시험관을 기울이며 인류를 구할 신약을
개발할 수도 있었을 것이다. 실제 그는 약국에도 잠깐 앉아
있어 보았고 연구소에서 신약 개발을 위해 남다른 연구에 몰
두한 적도 있었다. 그는 그것이 한때 자기가 세상에서 태어
나서 해야 할 가장 중요한 일이라고 생각한 적도 있었다고
했다. 그런데 어쩌다가 노동운동가가 되었냐고, 세상을 바
꿀 꿈을 꾸게 되었느냐고 물으면 이성우는 그냥 웃기만 했
다. 그러던 그가 어느 날 이런 말을 한 적이 있다. 사람을 치
료하기보다는 세상을 치료하고 싶었다고.

어느 날 문득 그는 보았을 것이다. 약국의 창을 통해서, 혹
은 연구소의 창문 너머로 중병에 걸려 비틀거리는 세상을 보
았을 것이다.

창은 세계와 나 사이에 놓인
벽의 또 다른 모습이지만
사방의 벽은 언제나 두텁고 어두웠으므로
나는 기꺼이 이 투명한 벽을 통해
세상을 내다본다.
......

......

전쟁과 기아, 폭력과 살인,
질병과 사고 따위 해묵은 것들부터
끝 모를 탐욕과 극단의 차별,
증오는 욕설처럼 끊임없이 재생산되는데도
바깥세상은 자못 여유로운 일상이다.
......

......

언젠가부터 몇 안 되는 이름만을 골라
그 이름의 창에 비치는 세상부터 관찰하기로 했다.
– 'SNS에 관한 단상' 부분

이성우 시의 대부분은 그 창 너머의 세상에 대한 관찰이다.
그의 시에는 거의 빠짐없이 세상에 대한 이야기가 나온다.
여느 시인들처럼 그도 창 저편에 보이는 꽃, 바람, 해, 눈,
별, 산 같은 자연과 그 자연과 어우러진 집, 거리, 일터, 마
을을 어릴 적 고향 떠올리듯 아름답게, 그리고 넉넉하게 그
의 시에 담는다. 그가 바라보는 세상도 우리와 별로 다르지
않다. 그러나 그는 여기에 머무르지 않는다. 눈에 보이는 일

상이 감추고 있는 것들을 찾아내어 그것들이 애써 가려 왔던 또 다른 세상을 드러내려고 한다. 그는 사람과 사람 사이, 사물과 사물 사이, 그리고 사물과 사람 사이에서 형성되는 관계가 바로 진짜 세상의 모습이라고 본다. 그래서 그는 그 관계 속에서 쌓아 온 일들을 불러내고 기억하는 일에 집중한다. 이성우의 시를 관통하는 가장 중요한 줄기는 바로 이것이다. 이성우의 시 안에서 세상은 관계 맺기의 과정을 통해서 민낯을 드러낸다.

볼펜이나
전화기나
하늘의 빛깔이나
지나치는 바람과 같이
평범한 것들에다가
얼마나 많은 기억들을
담아두었는가에 따라
그 내력과 깊이를 가늠할 수 있는 것.
– '관계' 부분

세월은 기대 이상 역동적으로 흘렀다.
어느덧 시집가고 장가들더니
우리에게도 집이 생겼고
저마다 버젓한 방과 책상을 갖게 되었다.

방과 방 사이,

집과 집 사이,
세상의 모든 벽이
사람과 사람 사이에도 공고하게 쌓였다.

누군가 소리쳐 외치지 않으면
거실이든 광장이든 모이기 어려운 시대,
다른 세상을 향한 열정은 변치 않았다고 말하지만
꿈도 현실도 강물을 거슬러 갈래갈래 샛강을 이룬다.
– '오래된 식당 "내집" – 김호규 동지에게' 부분

그는 야만의 자본주의 세상이 어떻게 일상 속에 감추어져 있는지를, 그것이 어떻게 사람과 사람, 사람과 사물과의 관계를 규정하고 또 왜곡하는 지를 그의 시 전편을 통해 끈질기게 보여 준다. 그가 실험실의 창을 통해, 혹은 약국의 창을 통해 바라 본 세상은 "도탄에 빠져 절규하는 소리 가득한 세상"이고 "사람들을 죽음으로 몰아넣기 시작하고 아무리 모질게 살자 해도 명박산성처럼 여지없이 가로막는 사회"이며, 또 "삭풍이 불고 벌거숭이 나무들마다 천도복숭아처럼 사람들이 거꾸로 매달린 계절"이고 "비정규직은 죽어야 정규직이 되는 빌어먹을 세상"이다. 그리하여 그는 우리가 사는 세상이 "신자유주의와 창조경제라는 망령에 쫓기고 약육강식만을 좇는 야만과 폭력에 둘러싸여 있는" 곳으로, "야만의 땅보다 더 척박하고 동물의 왕국보다 더 비정한 세상"이 되어 버렸다고 탄식한다. 날선 말들을 동원한 이러한 묘사가 추상적인 수사이거나 생경한 선동으로 다가오지 않고 시적 무

게를 갖게 되는 것은 우리가 살아가는 일상의 삶과 유리되
지 않기 때문이다. 「아직도 니네 나라에서는」에서 우리는 이
성우가 어떻게 사람들의 삶 속에서 세상을 읽어내고 있는지,
그것이 어떻게 시가 되는지를 보게 된다.

아직도 니네 나라
검찰은
사람을 때려죽인다지.
역시 법보다는 주먹이 가깝다니까.

아직도 니네 나라
경찰은
모든 국민을 적군으로 여긴다지.
天下無敵 常勝不敗!

아직도 니네 나라
국회라는 것은
조폭보다도 더 나와바리에 미쳐 날뛴다지.
눈에는 눈 이에는 이.

아직도 니네 나라
백성들은
그런 놈들한테 날마다 두들겨 맞으면서도
숨이 붙어 있기는 하다지.

그래, 이놈아.
서른 창창한 나이에 근골격계 시름으로 자살하고
환갑 넘은 노점상 형님이 단속에 노하여 분신하고
농민 할배들이 이틀이 멀다 하고 농약을 마시고
전쟁도 일어나지 않았는데
일 년에 3000명 노동자가 산재로 죽어가는 나라에서
절통하고 분통하여
우리가 어째 쉬 죽을 수 있겠느냐.

감옥에 끌려간들 대수랴.
방패에 찍히는 것이 아프랴.
수십 바늘 꿰맨다고 흔적이나 남으랴.

더 밀릴 곳도 없는 벼랑 끝에서
우리가
인간으로 살아남기 위해서
간다면 어디로 가겠어?
– '아직도 니네 나라에서는' 전문

이성우가 관찰하는 또 하나의 대상은 사람이다. 그는 창 너
머의 세상에서, 야만의 세상에서 부대끼며 살아가는 사람들
을 끈질기게 따라가며 그들의 삶을 관찰한다. 그는 세상의
끝으로 밀려나는 수많은 사람들의 이야기를, 세상과 맞서 싸
우다 스러져가는 수많은 사람들의 외침을, 삶의 터전에서
내몰리어 고통 받는 사람들의 울음소리를 보고 들으면서 이

를 기억하고 기록한다. 그는 우리들에게 "일터에서 내쫓기고……삶의 터전에서 내몰리어 서릿발 내린 아침에 한뎃잠자는 사람들"을 보라고 이야기하고, "고공, 천막, 노숙, 심지어 고압 송전탑……함께 살자 외치는 목소리"를 들으라고 말한다. "막장에 갇힌 세 모녀, 독방에 격리된 노인들", "혼자 사는 사람들, 같이 살아도 쓸쓸한 사람들, 엄마 품이 그리운 사람들, 마음 둘 곳 없는 사람들", "인재든 천재지변이든 속절없이 당하는…… 사람들"에게 손을 내밀자고 이야기한다. 사람에 대한 넘치는 사랑을 그는 이렇게 주체하지 못한다.

그러나 이성우는 사람들을 그저 연민과 안타까움으로만 바라보지 않는다. 그는 사람들을 대상화하지도 않는다. 그는 "생과 사를 무시로 오가는 사람들이 우리 이웃이며 동지들"이라는 것, 즉 그들이 바로 이성우 자신이라는 것을 분명하게 인식한다. 그래서 그는 그들과 똑 같은 자리에 서서 늘 같은 방향으로 세상을 보고 같은 길을 걸어간다. 그는 눈 오는 날 버스정류장에서 만난 이웃과 하나 됨을 좋아하고(눈 오는 날), 한 평 반의 노조사무실에서 함께 했던 140명의 조합원을 잊지 않는다(이사—서울을 떠나며). 그는 클라암스를 하는 여자와의 공감을 통해 세상을 보기도 하고(클라암스를 하는 여자), 늦은 밤 아내의 전화 한 통을 받고 다시 자신을 돌아보기도 한다(엽서). 먼저 저 세상으로 떠난 친구를 생각하며 운전석 머리 받침에 머리를 찧으며 그와 함께 꿈꾸었던 다른 세상에 대한 약속을 생각하고(故 장수찬에게), 먼저 간 동지의 영정 앞에서 살아남았다는 부끄러움에 눈물을 뿌린다(故 김종배에게). 자본의 폭력에 쓰러져 아직도 캄캄한 바다를 헤매고 있을 어린 영혼을 손등에 올려두고 밤새 보듬으며 기어이 되찾을 것을 결심한다(4월). 그는 늘 사람들과 하나가 되어 살아간다. 시가 그의 삶이고 그의 삶이 시가 되는 이유이다.

당신이 당하는 고통,
피눈물 어리도록 나의 것

당신이 누리는 행복,
떨어져 있어도 온전히 내 기쁨

지구가 둥글기 전,
프로메테우스가 불을 훔치던 때부터

내 궤도의 중심에 당신이 있고
아편보다 더 강한 인력으로
나를 공중 부양한다.

사랑, 아니어도 좋으리.
– '중독' 전문

그러나 이성우는 창 안쪽에만 머물지 않는다. 그는 약국의 창, 실험실의 창을 넘는다. 세상에 대한 관찰자로 남기를 거부하고 휘청거리는 세상과 맞서 싸우기 위해 그 한가운데로

들어간다. 그는 하얀 가운 대신에 붉은 머리띠를 매고, 신체의 병을 치료하는 약사가 아니라 병든 세상을 치료하겠다며 거기 사람들과 부대끼며 그들과 어깨를 건다. 그리고 새로운 세상으로 나아간다. 이성우의 세상보기는 결국 새로운 세상에 대한 꿈으로 이어진다. 그의 시가 시종 천착하고 있는 부분은 바로 여기이다. 이성우의 시는 이처럼 창밖의 세상과 사람, 그리고 또 다른 세상을 서로 교차시키며 그 관계를 통해 우리가 가야할 곳을 제시한다. 창밖의 세상에서 유리되고 밀려났던 사람들이 제자리를 찾게 되는 곳, 그곳이 바로 이성우에게는 다른 세상이다. 세상과 사람들이 어우러지는 곳, 그곳이 바로 이성우의 다른 세상이다. 그곳은 "어울렁 더울렁 모두 함께 사는 세상"이고 "더불어 함께 사는 세상, 너 나 없는 세상"이다. 이성우의 다른 세상은 사람들이 쉬고 누울 수 있는 따뜻한 곳이다. "뽀송뽀송 잘 마른 세상"이고 "다시 오는 해밀"을 볼 수 있는 세상이다. 이렇게 이성우의 시를 관통하는 것은 바로 세상과 사람이다. 이성우의 삶처럼.

5

이성우는 오늘도 여전히 마음 따뜻한 꼴통으로, 사람을 버무리는 요리사로, 그리고 세상 한가운데에서 세상을 다독이고 사람을 보듬는 약사로 살아간다. 그리고 그는 오늘도 여전히 달리는 열차 안에서, 다른 세상을 향한 싸움터에서, 사람들 부대끼는 삶의 현장에서 시를 쓰며 살아간다. 그는 또

한 우리들의 나태한 일상을 흔들고 긴장의 끈을 놓치지 않게 만든다. 우리 모두는 그렇게 살아가는 이성우를 지켜보는 것을 좋아한다. 그렇게 그의 삶이 녹아 든 노래를 들으면서 마음이 넉넉해진다. 살다가 한 숨 들이쉬고 마음 내려놓고 싶을 때, 취한 저녁에 허전한 마음이 불 꺼진 골목길을 허위허위 지날 때, 늦은 밤 하릴없이 전화기를 만지작거리다가 문득 누군가가 생각날 때, 우리는 달리 눈 들어 멀리 보지 않고, 먼 길 발품을 팔지도 않고, 애써 소리쳐 누군가를 부르지도 않는다. 우리가 서 있는 길 위에 그가 늘 함께 하고 있음을 알기 때문이다.

남은 생애,
이 길만 걷게 될 것임을
내가 알고 하늘이 알고
그대도 예감하게 될 것이다.
– '아침 단상' 부분

길
지나온 길
살아온 길
참 가까운 길
작년 내린 낙엽을 찾아내는 길

먼 길
아침이면

다시 나서야 할 길
날마다 새로 시작하는 길
가지 않은 길

길과
길 사이에는
정작 길이 없다.

이 새벽,
나는 거기에 있다.
– '길' 전문

이성우는 오늘도 길을 간다.
이성우는 오늘도 시를 쓴다.

시와 나

고교 시절,
혼자 자취를 했었다.
한여름에는 석유곤로,
다른 계절엔 연탄아궁이가
한 끼 밥과 두 끼 도시락을 감당했다.

이른 아침에 쌀 씻어 안치고
그 옆에 쪼그리고 앉아 교과서를 읽었다.
영어보다 수학을 좋아했지만
부뚜막에서 문제 풀이를 할 수는 없었다.

시가 거기에 있었다.
성적에 대한 남들의 관심 말고는
변화 없는 자취생의 일상으로
시가 야금야금 파고들었다.

시는 고독이었고

시는 사랑이었고
시는 죽음이었고
시는 구원이었다.
겨우 십대 후반에 세상을 희롱하며 시간을 죽였다.

4.19 이후 20년 만에
서울에도 바야흐로 봄이 왔을 때
나는 대학에 들어갔다.
봄이 무색하게
광주에서는 참혹한 살육이 있었다.

비로소 교과서 밖의 시들을 만났다.
시는 전쟁이었고
시는 저항이었고
시는 혁명이었고
시는 축제였다.
대성리 민박집에서 술 마시다가
사복형사들에게 시집을 빼앗겼던 시대였다.

그리고도 세상은 크게 바뀌지 않았다.
때로 환희와 희망에 찬 시기도 있었지만
반동과 퇴행의 못난 행태들은 사라질 줄 몰랐다.

백주 대낮에 보란 듯이 행세하던 폭력이
갖가지 유착으로 더욱 음습하고 정교해지고

지식인들의 견강부회와
소시민들의 내면화된 자기 검열 속에
세상은 동물 농장이 되었다.

그래도 나는 시를 읽고 읽는다.
지금 나에게 시는 무엇인가?
술 취해 읊조리는 추억의 노래도 아니고
중년에 홀로 쓸쓸하여 찾는 위로도 아니다.

언감생심 시인을 꿈꾸지는 않았지만
지나온 내 삶에 대한 연민이며 축복이라,
사람, 사건, 일과 술을 평생 벗 삼았어도
시와 더불어 살았기에 더 행복하였구나.

2015년 5월 16일
팽목항 가는 길에
이 성 우

이 시집을 만드는 데 도움을 주신 분들입니다.

공공현장, 구심회, 공공연구노조, 과학기술노조(옛), 시민참여연구센터, 8139동기회,
한울, 한솔대물림, 금평국민학교(23회), 한국생명공학연구원, 이근원, 이광호, 진기영,
오승희, 양경규, 김영수, 권수정, 고동환, 박서희, 오현우 그리고 이성우의 부모님과
장모님, 돌아가신 장인, 이성우와 아내의 형제자매와 그 가족들

이 시집에 등장하는 여러 고인들의 유가족들에게 깊은 위로의 말씀을 전합니다.

레디앙 시선 일하며 부르는 노래2

삶이 시가 되게 하라

초판 1쇄 펴낸 날 2015년 6월 25일

지은이 이성우
펴낸이 이광호
펴낸곳 도서출판 레디앙
디자인 Annd
인 쇄 천일문화사

등록 2014년 6월 2일 제315-2014-000045호
주소 서울 강서구 공항대로 481(등촌동, 2층)
전화 02-3663-1521 팩스 02-6442-1524
전자우편 redianbook@gmail.com

ⓒ 이성우, 2015

ISBN 979-11-953189-5-7 03810